Pythonで

いつもの仕事に即応用できる「新しい仕事術」

Excel、
メール、
Webを
自動化
する本

中嶋英勝
Hidekatsu Nakajima

= SB Creative

サンプルファイルのダウンロード

本書中に掲載しているプログラムやExcelブックなどは、下記のWebページからダウンロードできます。

https://www.sbcr.jp/support/4815602868/

本書に関するお問い合わせ

この度は小社書籍をご購入いただき誠にありがとうございます。小社では本書の内容に関するご質問を受け付けております。本書を読み進めていただきます中でご不明な箇所がございましたらお問い合わせください。なお、ご質問の前に小社Webサイトで「正誤表」をご確認ください。最新の正誤情報を下記のWebページに掲載しております。

https://isbn2.sbcr.jp/06398/

上記ページのサポート情報にある「正誤情報」のリンクをクリックしてください。
なお、正誤情報がない場合、リンクは用意されていません。

ご質問送付先

ご質問については下記のいずれかの方法をご利用ください。

▶Webページより

上記のサポートページ内にある「お問い合わせ」をクリックしていただき、ページ内の「書籍の内容について」をクリックすると、メールフォームが開きます。要綱に従ってご質問をご記入の上、送信してください。

▶郵送

郵送の場合は下記までお願いいたします。

〒106-0032
東京都港区六本木2-4-5
SBクリエイティブ　読者サポート係

はじめに

　皆さんは、面倒と感じながらも、仕方なくいつも以下のような作業をしていないでしょうか?

- Excel のひな型に、データを手入力またはコピペしている
- CSV は、Excel で開いてから整理している
- 顧客への定期的なメールを Outlook で送っている
- 同じ Web サイトの新着情報を、毎回ブラウザから Excel にコピペしている

　少しでも思い当たるならば、本書はきっとお役に立てると思います。本書は次のようなことを解決したいと考えているビジネスパーソンのための本です。

- 上記のような作業に時間がかかっている。できれば「自動化」したい
- IT 業界以外でもこれからはプログラミングのスキルが必要と感じているが、何から勉強を始めたらよいか分からない
- 社内でデジタル化を推進したいが、何から手を付けたらよいか分からない

　現代のビジネスパーソンは、Excel、Word、PowerPoint、メール、Web など、さまざまな「デジタルツール」を使いこなしながら仕事をしています。プログラミング言語「Python」を覚えれば、これらの仕事を自分でプログラムに書いて自動化できます。

　それだけでなく、ビジネスにも好影響を与えてくれます。プログラミングには、コンピュータやインターネットに関する周辺知識が不可欠です。Python の学習を通して、これらデジタルの基本知識を身に付けることで、DX(デジタルトランスフォーメーション)を推進するためのベースを築くことができます。

　仕事に活用でき、文法がシンプルで学びやすい Python は、ビジネスパーソンにとって最適なプログラミング言語です。本書のような基本を身に付けるだけですぐにたくさんのメリットが得られるからこそ、覚えないのはもったいないのです。ぜひ本書で第一歩を踏み出してください。

Pythonとは

「Python」とは、いまもっとも注目されているプログラミング言語の1つです。その理由の1つが、AI（人工知能）や機械学習がPythonで開発されることが多いからで、実質的にスタンダードの地位を確立しています。もう1つの理由が、文法がシンプルでわかりやすく、プログラミングが初めてでも学習しやすいことです。そのため、プログラミングを専門としない方々にも、幅広い用途で利用されています。特に最近は、ビジネスパーソンが仕事を効率化するためのツールとして注目されています。

本書はプログラミング未経験のビジネスパーソンを対象にしています。そこで、初めての方でもPythonを仕事に活用できるようになるために、次の「3つの方針」をもとに執筆しました。

1. 必要なプログラミング知識は必要最小限にする

プログラミングは覚えることがたくさんあるのでは？と思うかもしれませんが、基本的な部分は意外とコンパクトにまとまっています。

筆者は、プログラミングの知識をひととおり学習するよりも、必要最小限の基本を駆使して「仕事を自動化できるようになる」ことが大事だと考えました。そこで、Pythonについて覚えることを必要最小限な範囲に絞り込みました。

普通のプログラミングの入門書では、「クラス」と「関数」の作成方法を学ぶのが一般的です。しかし、初めての方にとって、この2つはとてもつまずきやすいポイントです。そのため、本書では学習しません。この2つを作成しなくても、仕事を自動化するプログラムは十分に書けます。関数まで使わないとコードは冗長になりますが、プログラムの内容を上から下に順番に読み解きやすくなります。初めての方にとっては、このメリットのほうがプログラミングを覚えるのに効果的と考えました。

2. シンプルな道具だけを使う

本書では、プログラムを書いたり実行したりするのに、Pythonに付属の「IDLE」というソフトだけを使います。IDLEはとてもシンプルですが、Pythonでプログラミングするのに十分な機能を備えています。ほかに

もっと高機能なソフトもたくさんありますが、使い方を覚えるのは結構大変です。IDLE ならすぐにプログラミングに取りかかれます。

　プログラミングは、単に本を読むだけではなかなか習得できません。何よりも「自分の手で入力して動かす」ことが大事です。だから、すぐに起動してプログラムをさっと書いて動かせる IDLE は、Python を学ぶのに最適です。

　IDLE は、見た目にも Windows のメモ帳のようで、手軽に使えます。そこに「作業の手順を文章のように Python で書き込み、そのまま実行して作業を処理する」そんな感覚で使っていただけたら、プログラミングが初めてでも早く仕事に活かせるようになるのではないかと考えました。

3. 実践的なプログラムを作る

　本書では、仕事でよく使う「Excel」「メール」「Web」の 3 つの分野のプログラミングを学習します。作成するプログラムは実践的な内容にすることで、「実際に仕事に使えるプログラムの作り方」を学べるようにしました。

　「Excel」編では、顧客ごとの請求書を自動作成します。「メール」編では、その請求書を添付して顧客ごとに自動送信します。「Web」編では、ブラウザを自動操作して特定のサイトの新着情報を Excel に保存します。さらに、そのときのスクリーンショットも保存します。

　いざ自分でプログラムを作成しようとすると、どこから手をつけたらよいか分からないものです。本書では、プログラムの作り方が学べるように、作成する過程を順序立てて説明するようにしています。

　デスクワークの自動化といえば、従来から「Excel VBA」がよく用いられています。Python は、マイクロソフトの Office 関連だけでなく、コンピュータでおこなう作業全般を記述できるので、万能な VBA という見方もできます。だからといって、何でも Python でやろうとする必要はありません。本書でも、PDF 作成のように VBA のほうが簡単にできる作業は、VBA を使っています。つまり、良いとこ取りをしています。

　このように、いきなりすべてを Python でやろうとしなくても、できそうなところから「ちょとずつ Python に任せる」だけでも大丈夫です。そうすれば、きっとこれからの「新しい仕事術」が見えてくるはずです。

　では、早速 Python をインストールしてプログラミングを始めましょう！

○ Contents

Contents

| 2-6 | **複数のシートをまとめる** | **116** |

| 2-7 | **絶対に覚えておきたいプログラミングのコツ** | **124** |

第3章 Python で CSV ファイルを操作する …………… 127

| 3-1 | **CSV ファイルを読み込んでみよう** | **128** |

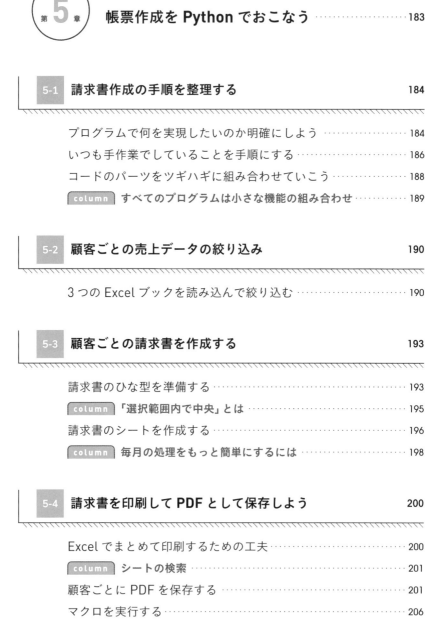

Contents

第 **8** 章 Python で Web から情報を収集する

第 **0** 章

準備編

本書で学習を始める前に、
まず「Python」をインストールします。
さらに、Excel ファイルの読み書きや
ブラウザ操作ができるように、
Python に機能を追加します。
スムーズに学習を進めるために、
ここでしっかりと
準備しておきましょう。

Pythonを
インストールしよう

◎ 最新版のインストーラーをダウンロードする

　Python は Windows と Mac のどちらにもインストールできます。インス
トーラーは公式サイト（https://www.python.org/downloads/）から無料で
ダウンロードできます。

　ダウンロードページは、Windows でアクセスすると Windows 用のペー
ジ、Mac でアクセスすると Mac 用のページを表示してくれます。

　次の画像にあるような [Download Python 3.x.x] のボタンをクリックし
て、最新版の Python のインストーラーをダウンロードします。「3.x.x」の
部分は最新のバージョン番号が表示されます。

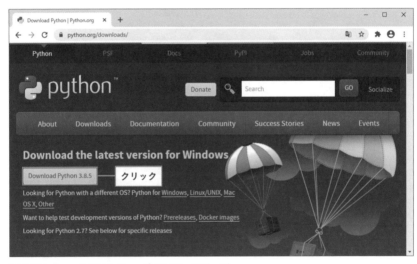

URL Windows用のPythonダウンロードページ
https://www.python.org/downloads/

インストーラーを起動する

　インストーラーのダウンロードが完了すると、ブラウザの下部の表示が

次のように変わります。［実行］ボタンや［開く］を選択して、インストーラーを起動します。

図　Microsoft Edgeブラウザの場合（新しいEdgeでは「ファイルを開く」をクリック）

図　Goolge Chromeブラウザの場合

　Mac の Safari の場合は、次のように「ダウンロード」フォルダーに保存されるので、インストーラーをダブルクリックして起動します。

図　Safariブラウザの場合（「ダウンロード」フォルダーに保存される）

●●● column ●●●

64ビット版Windowsだけど大丈夫？

　執筆時点では 64 ビットの Windows パソコンでダウンロードのボタンをクリックしても、32 ビット版用のインストーラーがダウンロードされます。Windows 用の Python には 32 ビット版と 64 ビット版があり、64 ビットの Windows パソコンでは両方とも正常に動作しますので、どちらがダウンロードされてもそのままインストールして大丈夫です。

◉Pythonをパソコンにインストールする

Windowsの場合

インストーラーが起動すると次のような画面が表示されます。そのまま
の状態で[Install Now]をクリックします。この画面は32ビット版ですが、
64ビット版でも操作は一緒です。

図 [Install Now]をクリックする

「Setup was successful」と表示されたら、インストールは無事に完了で
す。[Close]をクリックして、インストーラーを終了します。

図 [Close]をクリックして、インストーラーを終了する

これでPythonがインストールできたので、「0-2 Pythonに機能を追加し
よう」に進みます。

Macの場合

インストーラーが起動すると次のような画面が表示されるので、そのま
ま［続ける］をクリックしてインストールを進めます。途中で「ソフトウェ
ア使用許諾契約」の同意のダイアログが表示されたら、［同意する］をクリッ
クします。

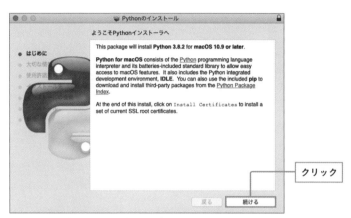

図　画面の指示に従い［続ける］をクリックする

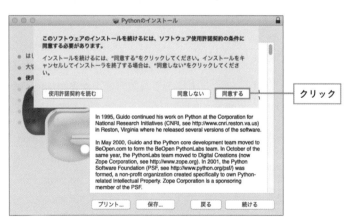

図　ソフトウェア使用許諾契約の画面が表示されたら、内容を確認して［同意す
る］をクリックする

次のような「Pythonのインストール」の画面が表示されたら、［インス
トール］をクリックします。するとインストールの許可を求めるダイアログ
が表示されるので、macOSの「ユーザ名」と「パスワード」を入力して、［ソ
フトウェアをインストール］をクリックします。

図　［インストール］をクリックする

図　macOSのユーザ名とパスワードを入力して、［ソフトウェアをインストール］
をクリックする

　「Congratulations! 〜」と表示されたら、インストールは無事に完了です。
［閉じる］をクリックして、インストーラーを終了します。Windows版と違
い、Mac版のインストーラーは次のコラムのような設定変更などの機能がな
いので、保管しないで最後に［ゴミ箱に入れる］をクリックして削除します。

図　インストールが完了したら［閉じる］をクリックする

これで Python がインストールできたので、「0-2 Python に機能を追加しよう」に進みます。

••• column •••

インストーラーは保管しておこう

Windows 版のインストーラーは、デスクトップなどに保管しておくと何かと便利です。Python をインストールした状態で、インストーラーを再度起動すると次のような画面が表示されます。[Modify] では環境変数の PATH への追加などの各種設定変更、[Repair] は Python の修復、[Uninstall] は Python のアンインストールがおこなえます。

何らかの原因で Python の調子が悪くなってしまったときは、再インストールするとほとんどの場合解消します。そんなときでも、インストーラーを残しておけば、以下の画面でアンインストールしたあとに、もう一度インストーラーを起動して簡単に再インストールできます。

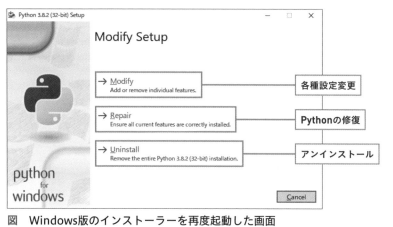

図　Windows版のインストーラーを再度起動した画面

0-2 Pythonに機能を追加しよう

◎ コマンドでPythonに機能を追加する

Pythonに機能を追加するには、「`pip install`」というコマンドを利用します。このコマンドを実行すると、Pythonのコミュニティが運営するライブラリから、インターネットでファイルをダウンロードしてきてインストールしてくれます（ライブラリについては、第6章で説明します）。

ここでは、本書で利用する次の2つをインストールしておきます。

・「openpyxl」：Excelファイルを読み書きするのに必要
・「selenium」：ブラウザを操作するのに必要

••• column •••

本書で用いた環境

本書の執筆では、以下の環境でプログラムを実行し、画面のイメージにはそのときの画像を使用しています。

・Windows 10 Pro 64bit
・Python 3.8.2 (Windows 32-bit)
・openpyxl 3.0.3
・selenium 3.141.0
・Excel 2019 64bit

また、Macでの本書プログラムの動作確認は、以下の環境でおこないました。

・macOS Catalina (10.15)
・Python 3.8.2 (Mac)
・openpyxl 3.0.4
・selenium 3.141.0

まずはコマンドプロンプト（ターミナル）を起動

インストールのコマンドは、Windows の場合は「コマンドプロンプト」、Mac の場合は「ターミナル」に入力して実行します。そこで、まず次の方法で、コマンドプロンプトまたはターミナルを起動しておきます。

Windowsではコマンドプロンプトを起動する

スタートメニューを開き、［Windows システムツール］-［コマンドプロンプト］をクリックすると、「コマンドプロンプト」が起動します。

図　スタートメニューから［Windowsシステムツール］-［コマンドプロンプト］をクリック

Macではターミナルを起動する

Mac では、［アプリケーション］フォルダーの［ユーティリティ］にある［ターミナル］をダブルクリックすると、「ターミナル」が起動します。

図　［アプリケーション］フォルダーの［ユーティリティ］から［ターミナル］をダブルクリック

◎ openpyxlとseleniumのインストール

コマンドプロンプトまたはターミナルが起動したら、次の方法で openpyxl と selenium をインストールします。

Windowsの場合

コマンドプロンプトに次のコマンドを入力して実行します。openpyxl の インストールが完了したら、続けて selenium をインストールしましょう。

▌ **Windows に openpyxl をインストールする**

```
py -m pip install openpyxl
```

▌ **Windows に selenium をインストール**

```
py -m pip install selenium
```

インストールのコマンドを実行すると、コマンドプロンプトに次のよう にインストール状況が表示されます。このように最後に「Successfully installed 〜」と表示されれば、インストールは無事に完了です。以下の図は openpyxl の場合ですが、selenium でも同様にインストール状況が表示され るので、無事にインストールできたかを確認できます。

図　Windowsでのopenpyxlのインストール状況

Macの場合

ターミナルに次のコマンドを入力して実行します。Windows とは少しコマンドが違うので注意してください。openpyxl のインストールが完了したら、続けて selenium をインストールしましょう。

▌ Mac に openpyxl をインストールする

```
pip3 install openpyxl
```

▌ Mac に selenium をインストール

```
pip3 install selenium
```

インストールのコマンドを実行すると、ターミナルに次のようにインストール状況が表示されます。このように最後に「Successfully installed ～」と表示されれば、インストールは無事に完了です。以下の図は openpyxl の場合ですが、selenium でも同様にインストール状況が表示されるので、無事にインストールできたかを確認できます。

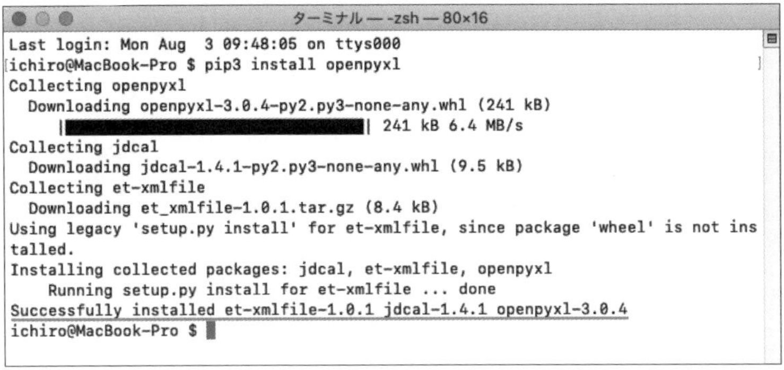

```
● ● ●                    ターミナル — -zsh — 80×16
Last login: Mon Aug  3 09:48:05 on ttys000
ichiro@MacBook-Pro $ pip3 install openpyxl
Collecting openpyxl
  Downloading openpyxl-3.0.4-py2.py3-none-any.whl (241 kB)
     |████████████████████████████████| 241 kB 6.4 MB/s
Collecting jdcal
  Downloading jdcal-1.4.1-py2.py3-none-any.whl (9.5 kB)
Collecting et-xmlfile
  Downloading et_xmlfile-1.0.1.tar.gz (8.4 kB)
Using legacy 'setup.py install' for et-xmlfile, since package 'wheel' is not ins
talled.
Installing collected packages: jdcal, et-xmlfile, openpyxl
    Running setup.py install for et-xmlfile ... done
Successfully installed et-xmlfile-1.0.1 jdcal-1.4.1 openpyxl-3.0.4
ichiro@MacBook-Pro $
```

図 Macでのopenpyxlのインストール状況

これで準備は完了ですが、Mac で学習するときに気を付けることを「0-3 Mac をお使いの方へ」にまとめていますので、ざっと目を通してから、本編で学習を始めましょう。

0

準備編

茶色のメッセージは気にしない

インストールの最後に、次のような茶色の「WARNING (警告)」メッセージが表示されることがあります。

図　茶色のWARNINGメッセージ

これは openpyxl や selenium のインストールに使っている pip に新しいバージョンが登場していることを表す通知です。新しいバージョンにアップデートしなくても openpyxl や selenium はインストールできるので、気にせずそのままにしておいて大丈夫です。

うまくインストールできないときは

openpyxl や selenium のインストールは、インターネットに直接接続して、ファイルをダウンロードします。そのため、企業などでよくおこなわれているようにプロキシサーバーを中継してインターネットに接続している場合は、そのままではインストールできません。接続できないのでエラーになってしまいます (複数回試行したあとにエラーになります)。その場合は次の方法を試してみてください。

ほかのネット環境でインストールする

インターネットに直接接続できる環境が確保できる場合は、まずそこでインストールしてみてください。これで解決できればいちばん簡単です。

プロキシサーバーを指定してからインストールする

　プロキシサーバーのある環境からインストールしたい場合は、コマンドでプロキシサーバーを事前に指定しておけば可能です。例えば、自分の会社のプロキシサーバーのアドレスが「http://proxy.example.co.jp」、ポート番号が「8080」の場合、次のコマンドを先に実行しておきます。それから、openpyxl と selenium をインストールすれば、プロキシサーバーを中継してダウンロードしてくれます。

▌Windows でプロキシサーバーを指定する（コマンドプロンプト）

```
set HTTP_PROXY=http://proxy.example.co.jp:8080
set HTTPS_PROXY=http://proxy.example.co.jp:8080
```

＊ 下線部は自分の環境に置き換える

```
C:¥WINDOWS¥system32¥cmd.exe                              —    □    ×

C:¥Users¥Ichiro>set HTTP_PROXY=http://proxy.example.co.jp:8080

C:¥Users¥Ichiro>set HTTPS_PROXY=http://proxy.example.co.jp:8080

C:¥Users¥Ichiro>py -m pip install openpyxl_
```

図　Windowsでのプロキシサーバーの指定

▌Mac でプロキシサーバーを指定する（ターミナル）

```
export HTTP_PROXY=http://proxy.example.co.jp:8080
export HTTPS_PROXY=http://proxy.example.co.jp:8080
```

＊ 下線部は自分の環境に置き換える

```
● ● ●                  ターミナル — -zsh — 80×6
Last login: Mon Aug  3 10:36:08 on ttys002
[ichiro@MacBook-Pro $ export HTTP_PROXY=http://proxy.example.co.jp:8080
[ichiro@MacBook-Pro $ export HTTPS_PROXY=http://proxy.example.co.jp:8080
ichiro@MacBook-Pro $ pip3 install openpyxl
```

図　Macでのプロキシサーバーの指定

　なお、認証が必要な場合は、http:// ユーザー名 : パスワード @ proxy.mycompany.co.jp のようにプロキシサーバー名の前に @ を挟んで認証情報を追加します。

インストールできたかリストで確認するには

次のコマンドを実行すると、openpyxl と selenium がインストールできたかリストで確認できます。

▌ Windows でインストールを確認（コマンドプロンプト）

```
py -m pip list
```

▌ Mac でインストールを確認（ターミナル）

```
pip3 list
```

コマンドを実行するとインストールされている機能のリストが表示されます。例えば、Windows で実行すると、openpyxl と selenium が次のようにリストに表示され、インストールされているのが確認できます。

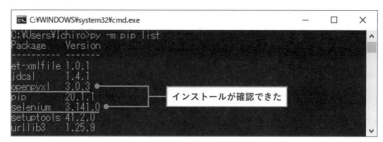

図　リストにopenpyxlとseleniumが表示されている（Windowsの場合）

サンプルファイルをダウンロードしよう

本書中に掲載しているプログラムや Excel ブックなどは、下記の Web ページからダウンロードできます。

URL 本書掲載サンプルのダウンロードページ
https://www.sbcr.jp/support/4815602868/

サンプルファイルの使い方は、本編で必要になった場合に随時説明をしています。ぜひ実際にプログラムを動かしながら学習を進めてください。

0-3 Mac をお使いの方へ

◯ 一部のプログラムは変更が必要

本書のプログラムは、Windows と Mac のどちらでも動作しますが、Windows 用に作成しているので、デフォルトの文字コードの違いやブラウザ操作のドライバーの部分は変更が必要です。変更する箇所は本編で随時説明しますが、おもに以下の2箇所で必要になります。

・CSVファイルの読み込み (第3章)
・Selenium WebDriverのファイル (第8章)

◯ IDLEの起動方法

本書ではプログラムの作成と実行に、Python に付属の「IDLE」を利用します。Mac でも Windows と同じく、Python をインストールすればすぐに使えます。Mac で IDLE を起動するには、次のように [アプリケーション] フォルダーの [Python 3.x] にある [IDLE] をダブルクリックします。

図 [アプリケーション] フォルダーの [Python 3.x] にある [IDLE] をダブルクリック

初回の起動時だけ、次のダイアログが表示されるので、必ず [OK] をクリックしてください。

図　このダイアログが表示されたら必ず[OK]をクリック

　ここで[許可しない]をクリックしてしまうと **IDLE は起動できなくなり
ます**。起動できなくなった場合は、手動でアクセスを許可します。それに
は、まず次のように[システム環境設定]から[セキュリティとプライバ
シー]を選択します。

図　[システム環境設定]から[セキュリティとプライバシー]を選択

　すると[セキュリティとプライバシー]の画面が表示されるので、次のよ
うに[プライバシー]タブを選択します。そこで、左側の項目から[ファイ
ルとフォルダ]を選択し、次図のように[Python]の「"書類"フォルダ」の
チェックをオンにします。これで IDLE が起動できるようになります。

図　[Python]の["書類"フォルダ]へのアクセスを許可する

○SMTP_SSL()を用いてメールを送信する場合

　第7章でメールを送信するときに、本書では `smtplib.SMTP()` を用い
てメール送信サーバーに接続しています。ほかの接続方法として、第7章
のコラムで紹介しているように、`smtplib.SMTP_SSL()` を用いる方法
もあります。この方法を用いる場合、Mac では SSL 通信に必要な電子証明
書(SSL証明書)をインストールしておく必要があります。

　SSL 証明書のインストールは、次のように[アプリケーション]フォル
ダーの[Python 3.x]にある[Install Certificates.command]をダブルクリッ
クします。ターミナルが自動的に開き、インストールが実行されます。

図　SSL証明書のインストール

なお、本書のコードのとおり `smtplib.SMTP()` を用いる場合は、この作業は必要ありません。

◉本番モードでメール送信するとエラーになる場合

　第7章のメール送信プログラム (mail_invoice_sender.py) の「本番モード」では、Excel ファイルから読み取ったメールアドレスにメールを送信します。しかし、Mac で本番モードで送信しようとすると、「TypeError: 'utf8' is an invalid keyword argument for Compat32」のようなエラーが表示され送信できないことがあります。

　その場合は、次のようにプログラムの初めの部分で `policy` をインポートしておき、`MIMEMultipart()` でメッセージを準備するときに、`policy=policy.default` をかっこの中で指定するようにしてください。

▌ **mail_invoice_sender.py を一部改良**

```
 1  import sys
    ...
 8  # policyのインポート
 9  from email import policy        ── 追記したコード
10
    ...
84  # メーリングリストの顧客に 1つずつメール送信
85  for data in mailing_list:
86      customer = data[0]
87      pdf_file = data[1]
88
89      # メッセージの準備
90      msg = MIMEMultipart(policy=policy.default)
        ...                                          ── 追記したコード
```


◉Selenium WebDriverの起動を許可する

　第8章では、Selenium WebDriver というツールを利用して、Chrome ブラウザを自動操作します。ここで、Python のプログラムで Selenium WebDriver を利用しようとすると、次のようなダイアログが表示されて動作しません。このダイアログは［キャンセル］をクリックして閉じます。

図　Selenium WebDriverを起動しようとするとブロックされる

　これは Mac のセキュリティが Selenium WebDriver の起動をブロックしているので、許可する必要があります。それには、まず次のように［システム環境設定］から［セキュリティとプライバシー］を選択します。

図　［システム環境設定］から［セキュリティとプライバシー］を選択

　すると［セキュリティとプライバシー］の画面が表示されるので、次図のように［一般］タブを選択します。すると下のほうに「"chromedriver" は開発元を確認できないため、使用がブロックされました。」と表示されているので、その右側にある［このまま許可］をクリックして起動を許可します。

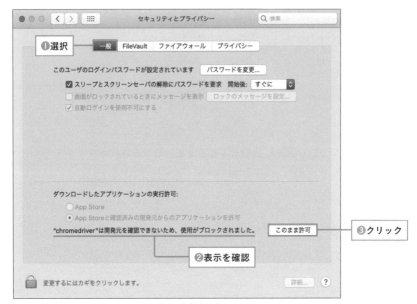

図　Selenium WebDriverの実行を許可する

　同じ Python のプログラムを、再度実行すると、今度は次のようなダイアログが表示されるので［開く］をクリックします。これで、Python のプログラムから Selenium WebDriver を利用して、ブラウザの操作が可能になります。

図　Pythonのプログラムを再度実行すると、もう一度確認が求められる。ここで
　　［開く］をクリックする

第 **1** 章

Python
プログラミングの
基本

まずは Python の基本的な文法を
身に付けるところから始めましょう。
初めての方でもなるべく早く
プログラミングを
スタートできるように、
これ以上ないくらいに基本事項を
絞り込んで説明します。

1-1 プログラムを書いて 実行する方法を覚える

◎ プログラムはメモ帳でも書けるけれど……

「プログラムを作る」というと、特別なソフトウェアが必要と思われがちですが、Python の場合はそうした道具立ては必要ありません。極端なことを言えば、Windows に初めから付いてくるメモ帳でコードを書いて、拡張子に「.py」を付けて保存すれば、それで完成します。

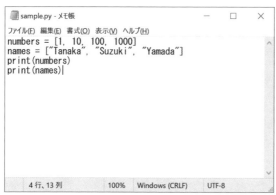

図 メモ帳でもPythonのプログラムは書けるが……

とはいえ、実際にメモ帳でコードを書く人は少数派です。よく使うキーワードを補完してくれたり、コードの意味が分かりやすいように色分け（ハイライトと呼びます）してくれるなど、便利な機能を備えたプログラミング用のテキストエディタを使う人がほとんどです。

本書では、Python と一緒にインストールされる **IDLE**（アイドル）というツールを利用します。ここでは簡単な例を用いて、IDLE でプログラムを書いて実行するまでの一連の流れを理解しましょう。

◎ プログラムをファイルに書いて保存する

まずは IDLE を起動しましょう。Windows のスタートボタンをクリック

して、すべてのアプリの一覧から [Python 3.x] を選択し、[IDLE] をクリックします (3.x の部分は、インストールしたバージョンが表示されます)。

図　Windows 10のスタートメニューで [Python 3.x] → [IDLE] をクリックする

IDLE には、1 行ごとにコードを実行する **Shell ウィンドウ**と、コードを書いて保存する **Editor ウィンドウ**の 2 種類のウィンドウがあります。IDLE を起動すると、最初に **Shell ウィンドウ**が表示されます。

図　IDLEのShellウィンドウ

今回は書いたコードを保存したいので、**Editor ウィンドウ**を開きます。Shell ウィンドウの [File] メニューから [New File] をクリックしましょう。

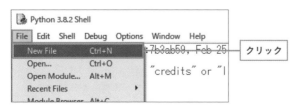

図　Shellウィンドウで [File] → [New File] をクリックする

タイトルバーに「untitled」と表示される白紙の Editor ウィンドウが開きます。

さっそくコードを入力してみます。"こんにちは、Python さん。" を出力する簡単なプログラムです。ダブルクォートで囲まれた「こんにちは、Python さん。」の部分以外はすべて半角文字で入力してください。

hello.py

```
1  print("こんにちは、Pythonさん。")
```

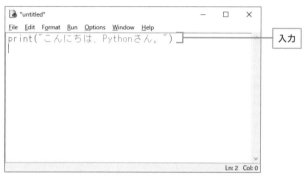

図　IDLEのEditorウィンドウにコードを入力する

次に、コードの保存用フォルダーとして、「ドキュメント」フォルダーの中に「ExcelPython」というフォルダーを作成しておきます。今後、コードはこのフォルダーに保存します。

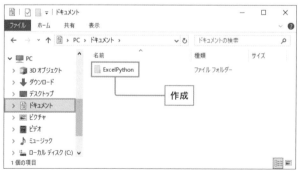

図　「ドキュメント」フォルダーの中に「ExcelPython」フォルダーを作成する

コードを保存するには、Editor ウィンドウの [File] メニューから [Save]

をクリックします。

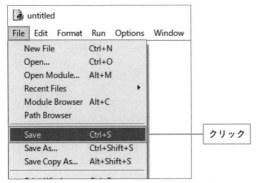

図　Editorウィンドウで [File] → [Save] をクリックする

　次のような画面が表示されるので、先ほどの「ExcelPython」フォルダー
に、「hello.py」というファイル名で保存します。Python のコードは**必ず
「.py」という拡張子を付けて**保存してください。ただし、この画面のように
「ファイルの種類」が「Python files」になっている場合は、自分で付けなく
ても拡張子は「.py」で保存されます。

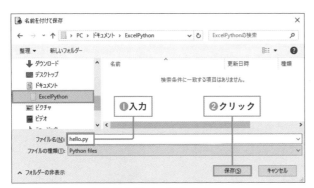

図　「hello.py」と名前を付けて保存する

● プログラムを実行する

　コードを保存したら、プログラムとして実行してみましょう。**Editor
ウィンドウ**の [Run] メニューから [Run Module] をクリックすると、すぐ
にプログラムが実行されます（ F5 キーでも実行できます）。

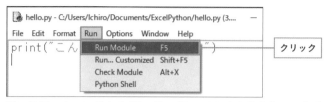

図　Editorウィンドウの [Run] → [Run Module] をクリックする

　プログラムの実行結果は **Shell ウィンドウ**に出力されます。次のように「RESTART：プログラムのファイルパス」の下に、「こんにちは、Pythonさん。」と表示されます。

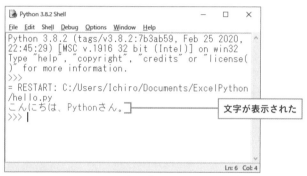

図　Shellウィンドウにプログラムの実行結果が出力される

　これで、Python のコードを書いて実行できるようになりました。プログラミングではこのように「コードを書いて、保存して、実行する作業」を繰り返します。その一連の作業をサポートしてくれるのが IDLE です。IDLE にはこのほかにもプログラミングに便利な機能がたくさん用意されているので、必要なタイミングで都度説明していきます。

● 保存したプログラムファイルを開く方法

　保存したプログラムファイルを開くには、2 通りの方法があります。

　簡単なのは **Windows のエクスプローラー**から開く方法です。次図のようPython プログラムのファイルを右クリック（または、ファイルを選択して Shift + F10 ）して、メニューから [Edit with IDLE] を選択すると、IDLE のEditor ウィンドウでプログラムファイルが開きます。

図 ファイルを右クリックして、メニューから [Edit with IDLE] を選択する

　もう1つの方法は、IDLE の Shell ウィンドウの [File] メニューから [Open] を選択する方法です。ファイルを開くダイアログボックスが表示されるので、Python プログラムのファイルを選択して [開く] をクリックします。

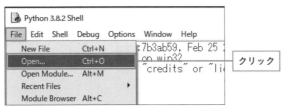

図 Shellウィンドウの [File] → [Open] からファイルを開く

••• column •••

IDLE以外の開発環境

　Python プログラムを書くためのソフトウェア（開発環境といいます）には IDLE 以外にもさまざまなものがあります。なかでも人気なのが、PyCharm と Visual Studio Code です。PyCharm は Python に特化した開発環境であり、Visual Studio Code はほかのプログラミング言語にも使うことができます。どちらも IDLE より高機能ですが、IDLE でも十分にプログラミングできるので安心してください。

　本書で作成する**1つのファイルで完結するプログラム**では、IDLE のほうが編集や実行が簡単にできる一面もあります。一方、処理が複数のファイルにまたがるプログラムを作成するようになると、PyCharm や Visual Studio Code を使うと便利になります。

変数を使ったコードを書いてみよう

● 変数はExcelのセルと同じと考える

　プログラミングをする上で最初につまずきやすいのが**変数**という概念です。あまり日常生活では使わない言葉ですが、数学でいう「x や y のようなもの」と考えれば理解しやすいでしょう。x に 1 が入っていると x+1 は 2 になり、x に 10 が入っていると x+1 は 11 となるのと同じように、プログラミングでも変数に入れた値を計算や出力などの処理で使用できます。

　変数は「データを入れる箱」ともよく表現されますが、Excel ユーザーにとってもっと分かりやすい例は「Excel のセル」ではないでしょうか。私たちはふだんから、「セル A1 に金額を入力して、=A1*10% という数式で消費税を求める」といった計算をしています。つまり、セルをデータを入れる箱として使っています。これは変数の使い方とまったく同じ考え方なのです。

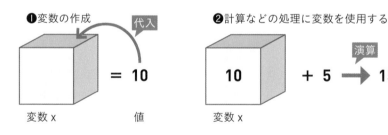

❶変数の作成　　代入　　　❷計算などの処理に変数を使用する

= 10　　　　　10 ＋ 5 → 演算 15

変数 x　　　値　　　　変数 x

図　変数はデータを入れる箱とイメージする

　変数を使うことで、複雑な処理でも**コードを簡潔に記述できる**ようになります。また、変数に入れる値を変えるだけで、コードの処理部分に手を加えなくても実行結果が変化するので、プログラムのメンテナンスが容易になるのも大きなメリットです。このあたりも Excel の数式とセル参照の考え方と同じです。

● 代入文で変数に値を格納する

変数に値を格納することを「**代入**」といいます。データを変数に代入するには、等号 (=) を用いて、右側の「データの**値**」を左側の「**変数**」に入れます。

■ 代入文の書き方

```
変数 = 値
```

● 変数の中身を確認する

次のように **print() 文**のかっこの中に変数を入力してプログラムを実行すると、変数に代入された値が表示されます。つまり、「箱の中身」を確認できます。

■ 変数の中身を出力する

```
print(変数)
```

試しに **10** という値を変数 x に代入し、変数の中身を表示するプログラムを作成してみます。

■ print_value.py

```
1  x = 10
2  print(x)
```

前節で説明した方法で、このコードを IDLE に入力して実行してみましょう。前節でコードの保存用に「ExcelPython」フォルダーを作成しましたが、さらにその中に「ch01」フォルダーを作成して、本章のプログラムはそこに保存するようにします。

IDLE の Editor ウィンドウを開いたら、次ページの図のようにコードを入力し、ファイル名を「print_value.py」として保存([File] メニュー → [Save])したら、F5 キーを押して実行します。

1

Python プログラミングの基本

図　IDLEのEditorウィンドウにコードを入力して実行する

すると Shell ウィンドウに **10** が表示されます。

図　「10」が表示される

続いて、このコードの末尾に新しい命令を追加します。今度は **name** という変数に **"Ichiro"** というテキストの値を代入して表示します。テキストはダブルクォートで囲むことに注意してください。

```
1  x = 10
2  print(x)
3  name = "Ichiro"
4  print(name)
```

入力したら「print_value_multi.py」という別名で保存します。Editor ウィンドウの [File] メニューから [Save As...] をクリックすると、**別名で保存**できます。

図 Editorウィンドウに新しいコードを追加して、別名で保存する

F5 キーを押して実行すると、今度は Shell ウィンドウに 10 と Ichiro が表示されます。

図 変数xの値が「10」、変数nameの値が「Ichiro」と表示される

プログラムはこのように、**上から1行ずつ順番に「逐次実行」されます**。プログラムの処理の流れには、ほかに「繰り返し（ループ）」と「条件による分岐」があり、全部で3通りしかありません。これらについては後ほど説明します（「繰り返し」は 1-4 節、「条件による分岐」は 1-5 節）。

● データ型の種類

Python プログラム内の値は、必ず何らかの「**データ型**」という種類に分けられます。Excel には、数値、文字列、シリアル値、論理値のように値の種類がありますが、それと同じように Python にも値の種類があり、それを「データ型」と呼んでいるのです。

値を変数に代入すれば、変数にも同じデータ型が適用されます。先ほどの print_value_multi.py では、変数 x に 10 という**整数型の値**、変数 name

47

には "Ichiro" という**文字列型の値**を代入しました。したがって、変数 x
は整数型、変数 name は文字列型になります。

　日頃のプログラミングでよく用いるデータ型は、次表に挙げた整数型(int)、
浮動小数点数型(float)、文字列型(str)、ブール型(bool)の 4 種類です。

データ型名称	データ型	例
整数型	int	-3, -2, -1, 0, 1, 2, 3, 4
浮動小数点数型	float	-125.3, -0.45, 0.00015, 4578.21, 5.0
文字列型	str	"Ichiro", " こんにちは！ ", "ID00123", "5.0"
ブール型	bool	True (真) か False (偽) のどちらかの値

表　よく用いるデータ型

　数値には「整数型」と「浮動小数点数型」の 2 つの型がおもに使われます。
整数とは -2, -1, 0, 1, 2, 3 のように、0 から 1 ずつ増えたり減ったりした数
値です。浮動小数点数とは、4578.21 のように小数点を含む数値です。

　テキストのような文字情報には「文字列型」が使われます。文字をダブル
クォート(")かシングルクォート(')で囲むと文字列型のデータになります。
10 だけだと整数型ですが、"10" のようにダブルクォートで囲むと文字列
型になります。ダブルクォートとシングルクォートはどちらを用いてもかま
いませんが、必ず同じペアで囲むようにしてください。

　真偽、有無、オン・オフのように二者択一の状態を表したいときは「ブー
ル型」が使われます。ブール型には、True (真) と False (偽) の 2 通りの値
しかありません。

　データや変数が何型なのかを調べるには、次のように type() のかっこ
内に入れて実行すると分かります。

▌データや変数の型を調べる

```
type(データ )
type(変数 )
```

　早速、次のコードを実行して確認してみましょう。

```
print_value_type.py
1  print(type(10))      ●────── 10の型を調べる
2  x = 10
3  print(type(x))       ●────── 変数xの型を調べる
4  print(type("Ichiro"))●────── "Ichiro"の型を調べる
5  name = "Ichiro"
6  print(type(name))    ●────── 変数nameの型を調べる
```

実行すると IDLE の Shell ウィンドウには、次のように表示されます。`<class 'int'>` が整数型、`<class 'str'>` が文字列型を意味します。

図　値や変数のデータ型を出力した

　ここで大事なのは、**変数のデータ型は代入した値で決まる**ということです。つまり、変数 x には 10 という整数を代入したから整数型 (int) になり、変数 name には "Ichiro" という文字列を代入したから文字列型 (str) になっているのです。コードの 2 行目の x を 1.38 などの浮動小数点数に修正し保存し直してから、再度実行すれば浮動小数点数型 (float) になります。実際に試してみてください。

○ 変数名の付け方

　変数名は以下の **3 つの命名規則**に従えば、自由に付けられます。

1. 以下の**決められた文字だけを使う**
   ・英字 (小文字：a 〜 z、大文字：A 〜 Z)
   ・数字 (0 〜 9)
   ・アンダースコア (_)
2. **数字から始めない**
3. **Python の予約語は使用しない**

予約語とは Python のプログラミング構文に用いるキーワードのことであり、変数名として使うことはできません。

Python の予約語

False	class	finally	is	return
None	continue	for	lambda	try
True	def	from	nonlocal	while
and	del	global	not	with
as	elif	if	or	yield
assert	else	import	pass	
break	except	in	raise	

命名規則に違反する変数を使用すると、**構文エラー**(SyntaxError)が表示されます。

SyntaxError になる変数名の例

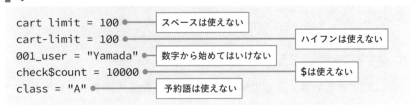

構文エラーが発生すると、次のような画面が表示されます。

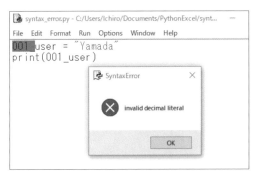

図 命名規則に反する名前を記述すると、エラーが表示される

こうした構文エラーが発生したときは、**赤く強調されている部分**(もしくはその直前部分)が間違っていると IDLE が指摘してくれます。指摘されている箇所を直して、再度実行してみましょう。

○ 変数で計算をしてみる

「数値」を代入した変数は、そのまま足し算や引き算などの計算に使えます。次のコードのように、数値の代わりに変数を記述するだけです。

calc_value1.py

```
1  x = 10
2  y = 3
3  print(x + y)
4  print(x * y)
5  print(x * 100)
```

実行結果

```
13
30
1000
```

＋や＊のような記号は「演算子」と呼びます。Python の計算でおもに用いる演算子は次表のとおりです。

演算子	意味	例	結果
+	足し算	5 + 3	8
-	引き算	7 - 2	5
*	掛け算	3 * 8	24
/	割り算	5 / 2	2.5
//	商	13 // 5	2
%	余り	13 % 5	3
**	べき乗	2**4	16

表　おもな演算子

変数どうしで計算した結果を新しい変数に代入することも可能です。次のコードの変数 z には x と y の掛け算の結果(30)が代入されます。また、既存の変数に**新しい値を代入**すると、その値で変数は**上書き**されます。次のコードの変数 x の値は、6 行目で 100 を代入すると 10 から 100 に変わります。

```
1  x = 10
2  y = 3
3  z = x * y
4  print(z)
5  print(x)
6  x = 100
7  print(x)
```

実行結果

```
30
10
100
```

変数を用いて計算した結果を、同じ変数に代入することもできます。次のコードのように、ある値を足したり掛けたりした値で「更新」できます。

calc_value3.py

```
1  x = 10
2  print(x)
3  x = x + 1
4  print(x)
5  x = x * 3
6  print(x)
```

実行結果

```
10
11
33
```

ここで大事なのは、変数は「**代入により強制的に上書きされる**」ということです。変数 x には、1 行目で最初に 10 を代入しましたが、3 行目と 5 行目で代入するたびに値が上書きされて変化しています。このように、変数には**直前で代入された値**が常にセットされているのです。

1-3 複数のデータは リストに入れる

◎ リスト型で複数のデータを1つの変数にまとめる

January、February、March、April……といった複数のデータを、1つの変数「month」に代入したい。こんな場合は、**リスト (list)** というデータ型を利用します。リストは**角かっこ**（[]）の中にカンマ区切りのデータを入れるだけで作成できます。このカンマで区切られた個々のデータを「要素」と呼びます。

リストは「棚」をイメージすると分かりやすいです。例えば「1, 10, 100, 1000」の4つの数値が入ったリストならば、次図のように4段の棚に、順番どおりに数値が入っている様子を想像してください。「"Tanaka", "Suzuki", "Yamada"」の3つの文字列が入ったリストならば、3段の棚になります。リストは前節までのデータ型と同様に変数に代入できます。次図は4段の棚のリストを numbers という変数に、3段の棚のリストを names という変数に入れているイメージです。

要素が「4つ」のリスト　　　　要素が「3つ」のリスト

図　リストのイメージ

実際にコードを書いて、リストを作ってみましょう。

```
1  numbers = [1, 10, 100, 1000]
2  names = ["Tanaka", "Suzuki", "Yamada"]
3  print(numbers)
4  print(names)
```

実行結果

```
[1, 10, 100, 1000]
['Tanaka', 'Suzuki', 'Yamada']
```

　リストを代入する変数には、**データが1つだけの変数と区別できる変数名**を付けるとコードが分かりやすくなります。よく用いられるのは、今回のように numbers や names のような「複数形の変数名」です。単語の末尾に「_list」または略して「_lst」を付けることもあります。

○ リストへのデータの入れ方

　リストを代入した変数にドット(.)と append() をつなげて実行すると、末尾に要素を追加できます。追加する要素はかっこの中に1つ指定します。つまり、前述のようにリストを「棚」に例えるなら、棚の段数を下に足してデータを入れるイメージです。

```
1  numbers = [1, 10, 100, 1000]
2  names = ["Tanaka", "Suzuki", "Yamada"]
3  print(numbers)
4  print(names)
5  numbers.append(10000)        ● ── リストnumbersに「10000」を追加
6  names.append("Yoshida")      ● ── リストnamesに「Yoshida」を追加
7  print(numbers)
8  print(names)
```

実行結果

```
[1, 10, 100, 1000]
['Tanaka', 'Suzuki', 'Yamada']
[1, 10, 100, 1000, 10000]
['Tanaka', 'Suzuki', 'Yamada', 'Yoshida']
```

append() を使えば、**空のリストに**要素を 1 つずつ追加してリストを作成することもできます。空のリストは次のように [] で作成できます。

```
list_from_empty.py
```

```
1  numbers = []
2  numbers.append(1)
3  numbers.append(10)
4  numbers.append(100)
5  numbers.append(1000)
6  print(numbers)
```

実行結果

```
[1, 10, 100, 1000]
```

○ リストからデータを取得する方法

リストからデータを 1 つ取得するには、リストの変数の後ろに角かっこ（[]）を付けて、かっこの中に番号を指定します。この番号は「**インデックス**」と呼ばれ、リストに並べた要素の左端から順番に **0 から**番号が振られています。

前述のようにリストを「棚」に例えると、0 から番号が振られたインデックスという「札」が上の段から順番に付いているイメージです。棚に入っているデータは、その札の番号を指定して取得します。

図　リストとインデックス番号の関係

では、実際にコードを書いてみましょう。インデックス番号を使って、リストから特定のデータを取り出します。

```
1  numbers = [1, 10, 100, 1000]
2  print(numbers[0])
3  print(numbers[1])
4  print(numbers[2])
5  print(numbers[3])
```

実行結果

```
1
10
100
1000
```

　リストにあるよりも大きなインデックスの番号を指定するとエラー
(**IndexError**)になるので気を付けてください。上のコードの numbers に
は要素が 4 つしかないので、5 つ目の要素を取得しようとすると次のように
Shell ウィンドウにエラーが表示されます。棚の段数が 4 つしかないのに、
5 段目の棚のデータは取り出せないからです。

▎上記コードで 5 つ目の要素を取得しようとするとエラーになる

```
...
print(numbers[3])
print(numbers[4])
```
　　　　　　　　　　ここでエラーになる

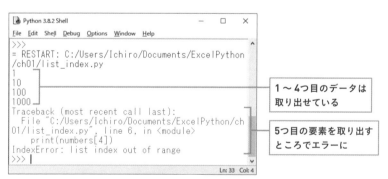

図　リストの要素数より大きなインデックス番号を指定するとエラーになる

　リストに入っている**要素の数**を調べるには、len() のかっこの中にリス
トの変数を入れて実行します。つまり、棚の段数を知ることができます。

list_len.py

```
1  numbers = [1, 10, 100, 1000]
2  names = ["田中 ", "鈴木 ", "山田 "]
3  empty_lst = []
4  print(len(numbers))
5  print(len(names))
6  print(len(empty_lst))
```

実行結果

```
4
3
0
```

　リストの**最後尾**を取得するには、インデックスに **-1** を指定します。これなら、要素の数が分からなくても確実に最後尾の要素を取得できます。

　ある要素から最後まで取得するには、numbers[1:] のように、インデックス番号の右側にコロン（:）を付けます。一方、**先頭からある要素の1つ手前まで**を取得するには、numbers[:-1] のように、左側にコロンを付けます。どちらもリストとしてデータを取得します。

list_slice.py

```
1  numbers = [1, 10, 100, 1000]
2  # 最後尾を取得
3  print(numbers[-1])
4  # 2つ目から最後まで(=先頭を除くすべて) 取得
5  print(numbers[1:])
6  # 先頭から最後尾の 1つ手前まで(=最後尾を除くすべて) 取得
7  print(numbers[:-1])
```

実行結果

```
1000
[10, 100, 1000]
[1, 10, 100]
```

● リストからデータを取得する方法のまとめ

　リスト s = ["a", "b", "c", "d", "e"] を例とした場合、リストからデータを取得する方法は次表のようになります。

取得する要素	方法	例	例の結果
先頭	リスト [0]	s[0]	'a'
末尾	リスト [-1]	s[-1]	'e'
任意の位置	リスト [インデックス]	s[2]	'c'
先頭を除くすべて	リスト [1:]	s[1:]	['b', 'c', 'd', 'e']
最後尾を除くすべて	リスト [:-1]	s[:-1]	['a', 'b', 'c', 'd']

表　リストからデータを取得する方法のまとめ

● IDLEの対話モードで確認する

リストからデータを取得する方法を確認したいだけなのに、毎回ファイルにプログラムを保存・実行するのは面倒ですね。このように簡単なコードを確認したいときは、Shell ウィンドウの >>> の後に直接コードを書き込めば 1 文ずつ実行できます。この実行方法を「**対話モード**」と呼びます。

簡単なリスト例として a ＝ [1，2，3，4，5] を作成して、要素を取得する方法を確認してみましょう。先頭から 2 つ除いたすべてを取得するには、次のように [2:] を指定すればよいことが分かります。

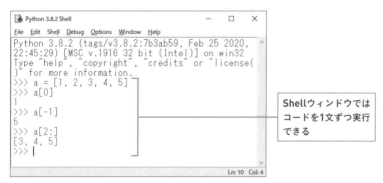

図　簡単なコードを確認したいときはIDLEの対話モードを使おう

1-4 複数のデータを ループで処理する

○ 同じ処理の繰り返しはループで対処する

　プログラミングでは、複数のデータに対して同じ処理をすることがよく
あります。そんなとき Python では、複数のデータを「**リスト**」に格納し、
そのリストを「**for文**」で繰り返し処理します。

　プログラミングでは、繰り返しを「**ループ**」と呼びます。大量データの処
理にはループが不可欠。大事なテクニックなので、ここでしっかり構文と考
え方を身に付けておきましょう。

○ リストからデータを1つずつ取り出す

　リストから1つずつ要素を取り出して処理するには、次のような **for文**
を作成します。この **for** 文を実行すると、リストの要素が1つずつ **in** の
前の変数に代入されるので、2行目からの**処理**でその変数を利用できます。

▌for文の書き方

```
for リストの要素を代入する変数 in リスト：
    ␣␣␣␣処理
```

　2行目からの**処理**の部分は必ず半角スペース4つで「**インデント**」します。
IDLE の Editor ウィンドウでは、**for** 文の最後でコロン(**:**)を入力したあと
に [Enter] キーを押すと自動的にインデントしてくれます。

　実際のコードで **for** 文による処理を確認しましょう。次のコードはリス
トに代入した複数の名前に「様」を付けて出力します。

▌for_loop_print.py

```
1  names = ["田中 ", "鈴木 ", "山田 "]
2  for name in names:
3      customer = name + "様 "
4      print(customer)
```

実行結果

```
田中様
鈴木様
山田様
```

リストの要素を代入する変数 name には、" 田中 "、" 鈴木 "、" 山田 " がループのたびに 1 つずつ代入されます。その name に様を付け加えて変数 customer に代入し、print() で出力しています。

これが for 文を使わないと、次のように何度も同じコードを書く羽目になります。

▌**for 文がないと同じコードを繰り返し書くことに**

```
name = "田中 "
customer = name + "様 "
print(customer)
name = "鈴木 "
customer = name + "様 "
print(customer)
name = "山田 "
customer = name + "様 "
print(customer)
```

name + " 様 " では「name に代入されている文字列」と「様」を 1 つに連結しています。文字列は数値の足し算と同じように + を用いて、**文字列どうしを連結する**ことができます。

● ループで新しくリストを作成する

for 文を活用すれば、既存のリストから新しいリストを作成することも簡単にできます。前項ではループの中で毎回「様」を付けた名前を print() で出力していましたが、今度は「様」を付けた名前のリストを作成して、最後にまとめて出力します。

次のコードでは、2 行目で空リスト customers を先に作成しておき、for 文の中で「様」を付けた名前を append() で 1 つずつ追加していきます。最後にリストの中身を print() で出力します。

for_loop_append1.py

```
1  names = ["田中", "鈴木", "山田"]
2  customers = []          ← 空リストを作成
3  for name in names:
4      user = name + "様"
5      customers.append(user)  ← リストにデータを追加
6  print(customers)          ← リストの中身を出力
```

実行結果

```
['田中様', '鈴木様', '山田様']
```

1

Pythonプログラミングの基本

　ここで、6行目の print() はインデントされていないことに注目して
ください。**インデントするのはあくまでも for 文でループさせる処理だけ**
です。次のように最後の print() もインデントしてしまうと、ループの
たびにリスト customers の中身が出力されます。

for_loop_append2.py

```
1  names = ["田中", "鈴木", "山田"]
2  customers = []
3  for name in names:
4      user = name + "様"
5      customers.append(user)
6      print(customers)     ← この行をインデントすると
                               ループのたびに出力される
```

実行結果

```
['田中様']
['田中様', '鈴木様']
['田中様', '鈴木様', '山田様']
```

　IDLE で入力していると print() も自動的にインデントされるので、
キーボードの ［Back space］ キーでインデントを削除してください。
　このように、**Python ではインデントが1つ違うだけで結果はまったく
変わってしまいます**。ここが Python のプログラミングでもっとも注意すべ
きところです。
　インデントは、for 文や if 文(次節で説明)などでコードをグループ化
するために使います。例えば、for 文なら「繰り返し実行するコードだけ」

をインデントします。このインデントでグループ化したひとまとまりを「**ブ
ロック**」と呼びます。

図　4～5行目のインデントした部分がブロック

　ブロックが見分けにくい場合は、次のように最後に「空行」を挟んでもか
まいません。空行はプログラム実行時には無視されるので、コードを読みや
すくする目的で適宜挿入していきましょう。

図　for文のブロックの後ろに空行を追加する

　ただし、空行はコードを見やすくするだけです。ブロックの範囲を決め
るのはあくまでもインデントなので、混同しないように注意しましょう。次
のようにインデントの削除を忘れると、空行があっても結果は for_loop_
append2.py と同じになります。

図　print()がインデントされているため、ブロックの一部に含まれてしまう

1-5 データの状態に応じて 処理を分ける

● 条件に合うときだけ処理する

　数値がある値より大きいか小さいかのような「データの状態」に応じて、処理を分けることがあります。例えば、点数により合否を分けたり、ランク付けをしたりする場合です。そのようなときには「**if文**」を用います。Excelでいうと「IF関数」と同じ機能です。

　このように途中から処理を分けることを、プログラミングでは「**分岐**」と呼びます。分岐はループと組み合わせると大量のデータでも処理を振り分けて実行できるので、Excel の VLOOKUP や COUNTIFS と同様の処理をプログラミングできるようになります（第4章で詳しく説明します）。

● if文で条件に合うときだけ処理をおこなう

　条件に合うときだけ特定の処理を実行するには、次のように **if文**を作成します。条件式を満たす場合だけ処理が実行されます。

▎if 文の書き方

```
if 条件式:
␣␣␣␣処理
```

　2行目からの**処理**のブロックは、for 文のときと同じく必ず半角スペース4つで**インデント**します。IDLE の Editor ウィンドウで、if 文の最後のコロン(**:**)を入力したあとに [Enter] キーを押すと、自動的にインデントしてくれます。これも for 文のときと同じです。

　例として、点数から合否判定を行い、合格の場合だけリストに保存するプログラムを作成してみます。合否のラインは「80 以上」とします。

　点数が 80 以上かどうかを判定するには、次のように「if 文の条件式」にscore　>=　80 と書きます。この条件式を満たすときだけ処理が実行されます。今回のプログラムでは score は「85」なので条件を満たし、リスト

の ok_list に追加されます。

if_single_branch1.py

```
1  score = 85
2  ok_list = []
3  if score >= 80:          scoreが80以上かを判定
4      ok_list.append(score)   ok_listにscoreを追加する
5  print(ok_list)
```

実行結果

```
[85]
```

最後の print() はインデントしていないことに気を付けてください。
for 文のときと同様に、**インデントするのは if 文で分岐させる処理だけ**です。
ここで、score を「75」に変更すると条件式を満たさないので、処理が
実行されません。したがって、ok_list は「空のまま」になります。

if_single_branch2.py

```
1  score = 75        85から変更
2  ok_list = []
3  if score >= 80:          scoreが80以上かを判定
4      ok_list.append(score)   ok_listにscoreを追加する
5  print(ok_list)
```

実行結果

```
[]
```

点数が 80 以上かどうかを判定する条件式には「>=」という記号を用いま
した。これは、2 つのデータを比較するための特別な演算子で「**比較演算子**」
と呼びます。足し算のような数値演算の結果は「数値」でしたが、比較演算
子を用いた演算の結果は「True か False のどちらか」になります。
「if 文の条件式」は、この比較演算子を用いた演算で記述し、**True にな
る場合に処理が実行されます**。False になる場合は、処理は実行されません。
比較演算子には次表のようにさまざまな種類がありますが、すべて「True
か False のどちらか」を結果として返します。

意味	比較演算子
等しい	==
等しくない	!=
より大きい	>
より小さい	<
以上	>=
以下	<=
要素を含む	in

表　比較演算子

　比較演算子を用いた演算がどのような結果になるかは、リストのときのように IDLE の Shell ウィンドウの「対話モード」を使うと簡単に確認できます。次のように適当な数値を用いて確認してみてください。

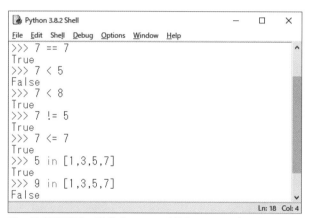

```
>>> 7 == 7
True
>>> 7 < 5
False
>>> 7 < 8
True
>>> 7 != 5
True
>>> 7 <= 7
True
>>> 5 in [1,3,5,7]
True
>>> 9 in [1,3,5,7]
False
```

図　比較演算子の動作をIDLEの対話モードで確認する

　「in」はリストの包含判定に使う演算子です。**要素 in リスト**を実行すると要素がリストに存在する場合は True を返します。例えば、リストに名前がある対象者だけ処理したい場合などに利用できます。

◎2通り以上に処理を分ける

　条件式を満たさない場合にも特定の処理を実行するには、次のように「if ～ else 文」を使います。つまり、else: を挟んでもう 1 つブロックを加えることで、**2 通りに処理を分岐できます**。

■ if 〜 else 文で 2 通りに処理を分岐する

```
if  条件式 :
␣␣␣␣処理1(条件式がTrueの場合に実行)
else:
␣␣␣␣処理2(条件式がFalseの場合に実行)
```

if 文のときに試したコードでは、合格点だけリストに追加しましたが、今度は不合格点もほかのリストに保存するプログラムを作成してみます。

コードには次のように ng_list というリストを用意して、else: の部分を加えるだけです。これで、合否ラインの「80 以上」をクリアしない場合は、else: のブロックで ng_list に追加されます。最後に print() で中身を確認します。

■ if_double_branch1.py

```
1  score = 85
2  ok_list = []
3  ng_list = []
4  if score >= 80:          scoreが80以上かを判定
5      ok_list.append(score)
6  else:                    4行目の条件式が満たされ
7      ng_list.append(score)  ないときに実行
8  print(ok_list)
9  print(ng_list)
```

実行結果

```
[85]          ok_listの内容
[]     ng_listの内容
```

この例では score は「85」なので条件を満たし、ok_list のほうに追加され、ng_list は空のままです。そこで、次のように score を「75」に変更して試してみます。

66

if_double_branch2.py

```
1  score = 75 ●──── 85から変更
2  ok_list = []
3  ng_list = []
4  if score >= 80: ●──── scoreが80以上かを判定
5      ok_list.append(score)
6  else:
7      ng_list.append(score) ●──── 4行目の条件式が満たされ
                                    ないときに実行
8  print(ok_list)
9  print(ng_list)
```

実行結果

```
[]   ●──── ok_listの内容
[75] ●──── ng_listの内容
```

　すると今度は ok_list が空のままになり、ng_list に点数が追加されるのを確認できます。

　さらに**3通り以上に処理を分岐する**には「if～elif～else文」を使います。次のように「elif文」で条件式を加えることができます。

if～elif～else文で3通り以上に処理を分岐する

```
if 条件式1:
␣␣␣␣処理1(条件式1がTrueの場合に実行)
elif 条件式2:
␣␣␣␣処理2(条件式1がFalseで、条件式2がTrueの場合に実行)
else:
␣␣␣␣処理3(条件式1と条件式2のどちらもFalseの場合に実行)
```

　基本的な考え方はこれまでと同じです。if文とelif文では、条件式がTrueの場合にその直下のブロックが実行されます。そして、if文とelif文のすべての条件式がTrueにならなかった場合は、最後のelse文の直下のブロックが実行されます。

　早速コードで試してみましょう。今度は合否判定でなくランク分けのプログラムを作成してみます。

　コードには次のように elif 文に score >= 60 という条件式を加えます。この elif 文は上の if 文が False の場合にしか実行されないので、こ

こで score が「80 未満 60 以上」の場合の処理を分岐できます。この仕組み
を利用して、点数が「80 以上」なら A ランクの a_list、「80 未満 60 以上」
なら B ランクの b_list、「60 未満」なら C ランクの c_list に追加しま
す。最後に print() で 3 つのリストの中身を確認します。

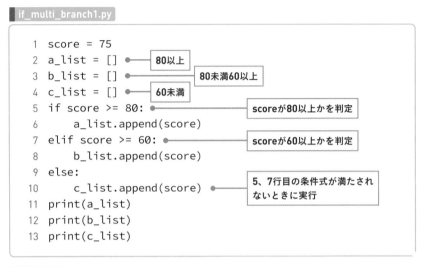

if_multi_branch1.py

```
 1  score = 75
 2  a_list = []        80以上
 3  b_list = []            80未満60以上
 4  c_list = []        60未満
 5  if score >= 80:        scoreが80以上かを判定
 6      a_list.append(score)
 7  elif score >= 60:      scoreが60以上かを判定
 8      b_list.append(score)
 9  else:
10      c_list.append(score)    5、7行目の条件式が満たされ
11  print(a_list)               ないときに実行
12  print(b_list)
13  print(c_list)
```

実行結果

```
[]         a_listの内容
[75]           b_listの内容
[]         c_listの内容
```

　score の「75」は、「80 未満 60 以上」に該当するので、b_list に追加
されます。a_list と c_list は空のままです。
　さらに elif 文をもう 1 つ追加すれば、**4 ランクに分ける**ことも可能で
す。「60 未満 40 以上」のランクを追加するには、次のように score >=
40 という条件式の elif 文を加えます。これで、「80 以上」「80 未満 60 以
上」「60 未満 40 以上」「40 未満」をそれぞれ A、B、C、D のランクに分けて
各リストに追加して、最後に中身を確認します。

if_multi_branch2.py

```python
 1  score = 50
 2  a_list = []        ← 80以上
 3  b_list = []        ← 80未満60以上
 4  c_list = []        ← 60未満40以上
 5  d_list = []        ← 40未満
 6  if score >= 80:    ← scoreが80以上かを判定
 7      a_list.append(score)
 8  elif score >= 60:  ← scoreが60以上かを判定
 9      b_list.append(score)
10  elif score >= 40:  ← scoreが40以上かを判定
11      c_list.append(score)
12  else:
13      d_list.append(score)  ← 6、8、10行目の条件式が満たされないときに実行
14  print(a_list)
15  print(b_list)
16  print(c_list)
17  print(d_list)
```

実行結果

```
[]       ← a_listの内容
[]       ← b_listの内容
[50]     ← c_listの内容
[]       ← d_listの内容
```

　score の「50」は、「60 未満 40 以上」に該当するので、c_list に追加されます。a_list、b_list、d_list は空のままになります。

　このように、elif 文を追加すれば何通りにも処理を分岐できます。

○ ループと組み合わせる

　ここまでのコードでは「単一の点数」しかランク分けできませんでしたが、「for 文」と組み合わせることで「複数の点数」を連続して処理できます。

　コードには次のようにランク分けしたい点数を scores というリストに代入しておき、「if ～ elif ～ else 文」を for 文のブロック内に配置します。for 文で繰り返し score に点数が代入されるので、ランク分けされた点数が a_list、b_list、c_list、d_list にそれぞれ追加されます。

loop_if_comb1.py

```
1   scores = [91, 45, 74, 50, 37, 68, 84, 70]
2   a_list = []
3   b_list = []
4   c_list = []
5   d_list = []
6   for score in scores:          ← scoresのすべての値で処理を繰り返す
7       if score >= 80:
8           a_list.append(score)
9       elif score >= 60:
10          b_list.append(score)      for文のブロック内で
11      elif score >= 40:             if ～ elif ～ else文を記述
12          c_list.append(score)
13      else:
14          d_list.append(score)
15  print(a_list)
16  print(b_list)
17  print(c_list)
18  print(d_list)
```

実行結果

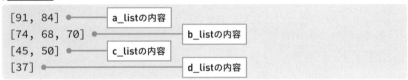

```
[91, 84]        ← a_listの内容
[74, 68, 70]    ← b_listの内容
[45, 50]        ← c_listの内容
[37]            ← d_listの内容
```

　このように if ～ elif ～ else 文を for 文と組み合わせることで、複数のデータを分類することができます。基本的な原理は、複数のデータから条件に合うものをピックアップしているだけなので、データの検索にも利用できます。第4章で詳しく説明しますが、この原理を応用することで Excel の「VLOOKUP 関数」と同じ処理が可能になります。

　一方、ピックアップしたデータの個数を len() でカウントすれば、ランクごとの個数を把握できます。これがまさに Excel の「COUNTIFS 関数」と同じ処理に相当します（これも第4章で詳しく説明します）。

loop_if_comb2.py

```
1  scores = [91, 45, 74, 50, 37, 68, 84, 70]
2  a_list = []
3  b_list = []
4  c_list = []
5  d_list = []
6  for score in scores:
7      if score >= 80:
8          a_list.append(score)
9      elif score >= 60:
10          b_list.append(score)
11      elif score >= 40:
12          c_list.append(score)
13      else:
14          d_list.append(score)
15  print("Aランクの個数:", len(a_list))
16  print("Bランクの個数:", len(b_list))
17  print("Cランクの個数:", len(c_list))
18  print("Dランクの個数:", len(d_list))
```

len()でデータの個数を数える

実行結果

```
Aランクの個数： 2
Bランクの個数： 3
Cランクの個数： 2
Dランクの個数： 1
```

　なお、今回 print() のかっこの中には、「カンマ区切り」で複数のデータを指定しています。このようにすると、指定したデータが「スペースで連結して」出力されます。今回のように、データの項目名を加えたいときに便利な機能です。

● ● ● column ● ● ●

プログラムの処理の流れは3つだけ

　上から順に1行ずつ実行するのがプログラムの原則です。これを「**逐次実行**」と呼びます。本章ではそれ以外にも for 文の「**ループ**」、if 文などの「**分岐**」の2つの方法を説明しました。

　プログラムの処理の流れはこの3つだけです。プログラミングではこの3つを組み合わせてさまざまな処理を行います。この組み合わせをパズルのように考えることこそプログラミングの面白さでもあります。

1-6 IDLEを使いやすく設定する

○IDLEのフォントサイズを変更する

IDLE はこれからも常に利用する道具ですので、使いやすく設定を変更しましょう。まず、IDLE のデフォルトのフォントサイズは 10 ポイントと小さいく見づらいので、サイズを大きくします。

IDLE のフォントサイズを変更するには、[Options] メニューから [Configure IDLE] をクリックします。

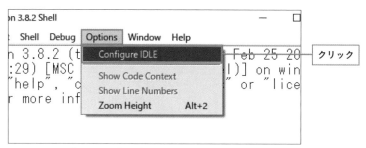

図　IDLEで [Options] → [Configure IDLE] をクリックする

[Settings] ダイアログボックスが表示されたら、[Fonts/Tabs] タブにある [Size] プルダウンメニューからフォントサイズを選択して [Ok] をクリックします。これですぐに IDLE のフォントサイズが変更されます。12 ポイントくらいのサイズに設定しておくと、文字がぐっと見やすくなります。

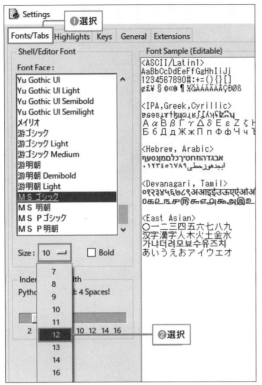

図 [Fonts/Tabs] タブの [Size] プルダウンメニューから
　 フォントサイズを選択する

○ 作業フォルダーを変更する

　次に、Python ファイルを保存するときのデフォルトのフォルダーを変更
します。現在は新規に作成したコードを保存しようとすると「C:¥Users¥
ユーザー名 ¥AppData¥Local¥Programs¥Python¥Python38-32」のように
Python がインストールされているフォルダーがデフォルトになっています。
毎回そこから別のフォルダーを指定するのは面倒です。

　そこで、IDLE を実行するときの「作業フォルダー」を変更します。まず
次ページの図のようにスタートメニューの [IDLE] を右クリックして [その
他] → [ファイルの場所を開く] を選択します。

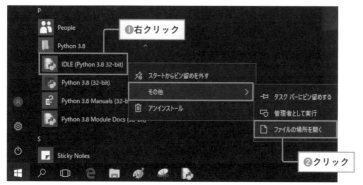

図 [IDLE]を右クリックして、[その他]→[ファイルの場所を開く]を選択する

　エクスプローラーが開き IDLE のショートカットが表示されるので、右ク
リックして［プロパティ］を選択します。

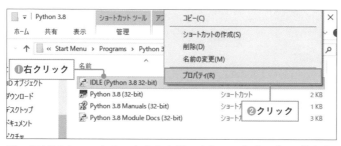

図 IDLEのショートカットを右クリックして、[プロパティ]をクリックする

　プロパティ画面が表示されるので、［ショートカット］タブの［作業フォル
ダー］欄に「C:¥Users¥ ユーザー名 ¥Documents¥ExcelPython¥」のように

コード保存用のフォルダーを
指定し、[OK]をクリックして
画面を閉じます。

　これで、次回から新しいコー
ドを保存するときは、「Excel
Python」フォルダーがデフォル
トで表示されます。本書を読
み終えた後に別のフォルダー
で作業したい場合は、同じ方
法で変更してください。

図 ［ショートカット］タブの［作業フォル
ダー］欄に、コード保存用のフォルダー
を指定する

第 **2** 章

Pythonで Excel ファイルを 操作する

Python を使えば、
Excel を起動することなく
Excel ファイルを操作することが
できます。
本格的な解説に入る前に、
Python で Excel ファイルを読み込み、
編集し、保存する基本的な操作を
本章で学んでいきましょう。

Excelファイルの基本構造を理解しよう

◎ ファイルの構造をつかむところから始めよう

まずは、**Excelの基本事項**をあらためて確認しましょう。本書では、Pythonで Excelファイルの中身にアクセスするので、**Excelのブックやシートがどのように構成されているか**を把握しておけば、今後のプログラミング学習で大きな助けとなります。

◎ 基本はブック、ワークシート、セルの3つの階層

Excelを起動して「空白のブック」を新規作成すると、次のような見慣れた画面が表示されます。この画面を見ると、「**ブック**」の中に「**ワークシート**」が入り、ワークシートの中に格子線で区切った「**セル**」があるのが分かります。ご存じのとおり、データはこのセルの中に入力します。

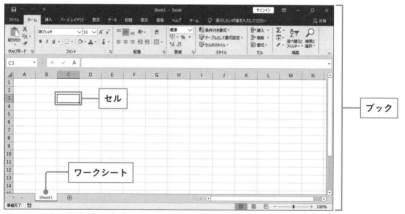

図　Excelの基本構成（ブック、ワークシート、セル）

「ブック」とは要するに「Excelファイル」のことですが、その中には1つ以上の「ワークシート」を格納できます。ブックを「本」とすれば、ワークシートが1つひとつの「ページ」にあたります。

Excel 2019で「空白のブック」を作成すると、最初はワークシートが1つ

だけしか入っていませんが、1つのブックには、パソコンのメモリが許す限りいくらでもワークシートを追加できます。

そして、1つのワークシートには、「セル」がいくつも格子状に仕切られています。このマス目の1つひとつに数値や文字列、数式を入力して、データの集計や帳票の作成をおこないます。

••• column •••

シートの種類はいくつかある

シートには、「ワークシート」、「グラフシート」、以前のバージョンの「マクロシート」など、いくつかの種類があります。データの集計や帳票の作成にふだん利用しているのが、格子線でセルが仕切られている「ワークシート」です。本書では「ワークシート」を単に「シート」と呼んで用います。

○ セルの番地を指定する方法

Excel ではシート内で1つのセルを特定するのに、次の「A1 形式」と「R1C1 形式」の2通りの方法を使用できます。

- 「A1」や「AA10」のように列アルファベットと行番号の番地による方法（A1形式）
- 行番号と列番号による方法（R1C1形式）

つまり、A1 形式は「文字列」、R1C1 形式は行列番号の「数値」でセルを特定できることになります。A1 形式は、直感的で分かりやすいですが、プログラムで参照先を移動するには、毎回文字列を組み立てる必要があります。一方、R1C1 形式は、数値なので直感的なイメージはしづらいですが、数値を増減するだけで簡単に参照先を移動できます。

R1C1 形式については、馴染みがないかもしれないので、1つ例を見てみましょう。「D3 セル」から「A1 セル」を参照する場合を考えてみます。

A1 形式では、D3 セルに「=A1」と入力すれば、A1 セルの値を参照できます。この数式を別のセルにコピーすると、参照するセルはズレます。つまり、数式が入っているセルからの相対的な位置を保つ「相対参照」になっています。

これを R1C1 形式では、D3 セル（R3C4 セル）を基点に「上に 2 つ、左に 3 つ」移動したセルを参照するように指定します。そのため、次図のように「=R[-2]C[-3]」と入力します（下・右の方向をプラスで指定し、上・左の方向をマイナスで指定します）。

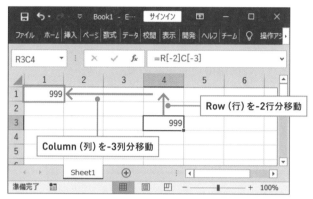

図　R1C1形式でD3セルからA1セルを「相対参照」する

一方、数式をどのセルにコピーしてもズレないようにするには「絶対参照」にします。A1 形式では「=$A$1」のように入力し、R1C1 形式では、「A1 セル」は「1 行目、1 列目」の位置に相当するので、次のように「=R1C1」と入力します。

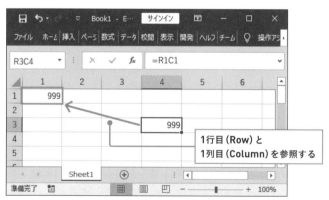

図　R1C1形式でA1セルを「絶対参照」する

A1 形式と R1C1 形式は、おのおの長所と短所があるので、2 つのセル番地指定方法を適宜使い分けていきます。本書で用いる openpyxl モジュールでは、両方の方法でセルを特定できます。

••• column •••

ブックの種類

ブックには「Excel ブック」、「Excel マクロ有効ブック」、「Excel 97 〜 2003 ブック」などの種類があります。それぞれファイル形式が異なり、.xlsx、.xlsm、.xls のように違う拡張子で保存されますが、「ブック」といえば大抵は拡張子が .xlsx の「Excel ブック」のことを指します。本書でも単に「ブック」と呼ぶ場合は「Excel ブック」を指します。

ブックの種類	拡張子	概要
Excel ブック	.xlsx	現行バージョンの Excel の既定ファイル形式
Excel マクロ有効ブック	.xlsm	現行バージョンの Excel のマクロ有効のファイル形式
Excel97 〜 2003 ブック	.xls	Excel 97 〜 2003 のファイル形式

表　おもなブックの種類

本書で用いる openpyxl モジュールは、拡張子が .xlsx、.xlsm のブックを読み書きできますが、**拡張子が .xls のブックは利用できない**ので気を付けてください。なお、openpyxl モジュールは Excel 2010 以降の Excel ファイルを対象に開発されているので、Excel 2007 のブックは正常に読み書きできない可能性があります。

本書では基本的に拡張子が .xlsx のブックを扱いますが、5-4 節では .xlsm のマクロ有効ブックも使用します。

2

Python で Excel ファイルを操作する

ブックの開き方・保存方法を覚えよう

○ openpyxlでブックを開いてみよう

本書では「openpyxl」モジュールを使用して、Excel ファイルを Python で読み書きします。openpyxl のインストールがまだの方は、[準備編]を参考にインストールしておいてください。

準備が済んだら、Excel ファイル (「ブック」) の読み込みにさっそく挑戦してみましょう。

••• column •••

モジュールとは？

Python では、さまざまな機能を 1 つの Python ファイルに書き込んでおき、再利用できるようにしたものを「モジュール」と呼びます。再利用するためには、このあと説明する「インポート」で読み込みます。

○ ブックを読み込む

「売上データ.xlsx」というサンプルの Excel ブックを読み込んでみます。

図　読み込みの練習に用いるブック「売上データ.xlsx」

このブックには「4月売上」「5月売上」「6月売上」の3つのシートがあり、それぞれに1カ月分の売上データが記録されています。このサンプルファイルは、本書のサポートサイトからダウンロードできます（サンプルの「ch02」フォルダーにあります）。

openpyxlモジュールを使えるようにするためには、まずモジュールを読み込んでおく必要があります。この作業を「**インポート**」と呼びます。インポートするには、`import モジュール名`を実行するだけです。

Pythonのプログラムでモジュールの機能を使用するには、その前にインポートされている必要があるので、`import`文は「コードの上部」に書きます。ここでは、次のコードを「プログラムの1行目」に書いておきます。

▌ openpyxlモジュールの読み込み（インポート）

```
import openpyxl
```

次に、openpyxlを利用してブックを読み込みます。openpyxlの後ろにドット「.」と`load_workbook()`をつなげましょう。かっこの中には「ブックのファイル名」を指定します。読み込んだ結果を変数wbに代入しておけば、あとはこの変数を用いてブックやその中のシートを操作できるようになります。wbは「WorkBook」を略した変数名です。

▌ ブックの読み込み

```
wb = openpyxl.load_workbook(ブックのファイル名 )
```

ここまでで、ブックを読み込んだ結果が変数wbに代入されます。次は、変数wbから「シート名の一覧」を取得してみましょう。次のコードの3行目のように、変数wbの後ろにドット「.」と`sheetnames`をつなげると取得できます。

▌ xl_book_load.py

```
1  import openpyxl
2  wb = openpyxl.load_workbook("売上データ.xlsx")
3  print(wb.sheetnames)
```

2

Python で Excel ファイルを操作する

プログラムを入力し保存してから、F5 キーを押してプログラムを実行すると、次のようにシート名の一覧が出力されます。

```
['4月売上', '5月売上', '6月売上']
```

ここでエラーが発生している場合は、次からの説明を参考にプログラムファイルと Excel ファイルの保存先を見直してみましょう。

ファイルの保存先でファイル名の書き方が変わる

プログラムの「xl_book_load.py」とブックの「売上データ.xlsx」は、同じフォルダーの中に保存してください。次のように第 1 章で作成した「ExcelPython」フォルダーに「ch02」フォルダーを作成して、その中に保存してから実行してみましょう。

図　フォルダー構成

先ほど書いた「xl_book_load.py」では、2 行目の `openpyxl.load_workbook("売上データ.xlsx")` で Excel ファイル「売上データ.xlsx」を読み込んでいましたね。同じフォルダーに保存されているファイルを読み込む場合は、このようにファイル名だけ指定すれば大丈夫なのです。

ところが、別々のフォルダー内にファイルを保存している場合はうまくいきません。読み込むブックが見つからず、FileNotFoundError（エラー：ファイルが見つかりません）が表示されます。このエラーが表示されたら、ブックの保存場所や、コードに記述したファイル名が間違っていないか確認してください。

```
der¥excel.py", line 124, in __init__
    self.archive = _validate_archive(fn)
  File "C:¥Users¥Ichiro¥AppData¥Local¥Programs¥P
ython¥Python38-32¥lib¥site-packages¥openpyxl¥rea
der¥excel.py", line 96, in _validate_archive
    archive = ZipFile(filename, 'r')
  File "C:¥Users¥Ichiro¥AppData¥Local¥Programs¥P
ython¥Python38-32¥lib¥zipfile.py", line 1251, in
 __init__
    self.fp = io.open(file, filemode)
FileNotFoundError: [Errno 2] No such file or dir
ectory: '売上データ.xlsx'
>>> |
```

図　ブックが見つからない場合のエラー（FileNotFoundError）

　ちなみに、フォルダー内の「子のフォルダー」（サブフォルダーといいます）にあるブックを読み込むには、フォルダー名も指定します。例えば、「売上データ.xlsx」が「Data」というサブフォルダーにある場合は、読み込むブックは「Data/ 売上データ.xlsx」と指定します。

図　フォルダー構成：「Data」サブフォルダーがある場合

▌サブフォルダー「Data」の中にブックがある場合

```
wb = openpyxl.load_workbook("Data/売上データ.xlsx")
```

　ファイル名の指定方法は、本節末尾のコラムで詳しく説明しています。

● ブックを上書き保存、別名で保存する

　ブックを保存するには、ブックを代入した変数 wb にドット「.」とsave() をつなげるだけです。このかっこの中に、開いたときと同じファイル名を入れると「**上書き保存**」されます。一方、違うファイル名にすると「**別名で保存**」されます。

ブックの保存

```
wb.save(保存するブックのファイル名)
```

　次のように読み込んだブックと同じ名前「売上データ.xlsx」を save()
に指定して実行すると、「上書き保存」されます。実行後にエクスプローラー
で「更新日時」を確認すると、現在の日時に更新されているのが分かります。

xl_book_save.py

```
1  import openpyxl
2  wb = openpyxl.load_workbook("売上データ.xlsx")
3  wb.save("売上データ.xlsx")
```

同じファイル名＝上書き保存

図　プログラムを実行すると、「更新日時」が現在の日時に更新される

　一方、読み込み時と異なる名前（ここでは「売上データ_コピー.xlsx」）
を save() に指定すると、「別名で保存」されます。

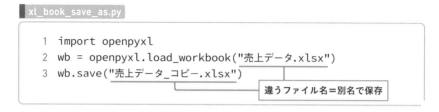

xl_book_save_as.py

```
1  import openpyxl
2  wb = openpyxl.load_workbook("売上データ.xlsx")
3  wb.save("売上データ_コピー.xlsx")
```

違うファイル名＝別名で保存

　エクスプローラーで確認すると、次のように「売上データ_コピー.xlsx」
が作成されています。ここでは、ブックの内容を何も変更せず保存している
ので、「複製」したブックが作成されます。

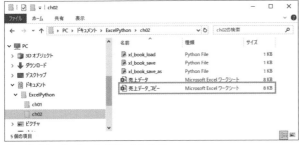

図　複製したブックが作成される

● 保存時にフォルダーを指定する

　保存するときも、読み込み時と同様にサブフォルダーを指定できます。ただし、保存先のサブフォルダーが存在しないと FileNotFoundError が表示されてしまいます。このエラーを回避するには、事前にフォルダーを作成しておく必要があります。

　とはいえ、エクスプローラーで作成するのは、あまりスマートではありません。次のコードを利用すれば、フォルダーの作成をプログラムの中に組み込むことができます。

▌フォルダーが存在しない場合に作成する

```
import pathlib
pathlib.Path(フォルダー名).mkdir(exist_ok=True)
```

　Python でフォルダーを作成するには、「pathlib」モジュールを利用します。このモジュールは最初から Python に付属しているので、openpyxl のように事前にインストールする必要はありません。`import pathlib` を実行すればすぐに使えます。

　作成したいフォルダー名を `pathlib.Path()` のかっこの中に入力して、ドット「`.`」と `mkdir()` をつなげると、フォルダーが作成されます。ただし、このままだと同名のフォルダーが存在する場合はエラーになってしまうので、`mkdir()` のかっこに `exist_ok=True` を指定します。これで、同名フォルダーが存在しないときだけ、フォルダーが作成されます。

　ちなみに、`import` 文は次のように「`from pathlib import Path`」と書くことにより、`pathlib.Path()` をシンプルに `Path()` と記述する

こともできます。fromの後ろにモジュール名、importの後ろにモジュール内の使いたい機能を指定します。

▌import文をfrom import文に置き換え

```
from pathlib import Path
Path(フォルダー名).mkdir(exist_ok=True)
```

　この2行を組み入れて、「Copy」というサブフォルダーに保存するようにします。次のようにモジュールをインポートする行は先にまとめて書いておき、保存する直前にサブフォルダーを作成します。save()のかっこの中は、サブフォルダーを付けて「Copy/売上データ_コピー.xlsx」とします。

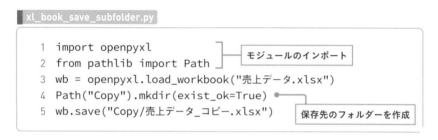

```
1  import openpyxl
2  from pathlib import Path        モジュールのインポート
3  wb = openpyxl.load_workbook("売上データ.xlsx")
4  Path("Copy").mkdir(exist_ok=True)
5  wb.save("Copy/売上データ_コピー.xlsx")   保存先のフォルダーを作成
```

　このプログラムを実行すると、次のように「Copy」フォルダーが作成され、その中に「売上データ_コピー.xlsx」が保存されます。

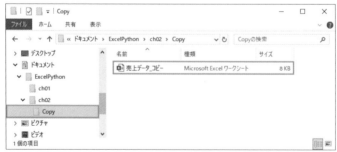

図　「Copy」フォルダーに「売上データ_コピー.xlsx」が保存される

••• column •••

カレント、絶対パス、相対パス

プログラムが自分の作業場所として認識しているフォルダーを「**カレント ディレクトリ**」や単に「**カレント**」と呼びます。本書のように IDLE でプログラムを実行すると、カレントはデフォルトでは「プログラムがある場所」、つまり実行する .py ファイルがある場所になります(本章では「ch02」フォルダー)。

本節の load_workbook(" 売上データ.xlsx") のようにファイル名だけを指定すると、プログラムはカレントからファイルを探します。また、load_workbook("Data/ 売上データ.xlsx") のように指定すれば、カレント内の「Data」フォルダーからファイルを探します。このようにカレントを起点とするファイル場所の指定方法を「**相対パス**」と呼びます。

一方、外付けのハードディスクや社内ネットワークにあるファイルを指定するには、次のようにドライブ名やサーバー名から指定する必要があります。このファイル場所の指定方法を「**絶対パス**」と呼びます。

▌絶対パスの指定例

```
# Dドライブの外付けハードディスクに保存する例
wb.save("D:/Data/売上データ_コピー.xlsx")
# 社内ネットワークの共有フォルダーから読み込む例
wb.load_workbook("//server3/share/Data/売上データ.xlsx")
```

本書のプログラムでは、基本的に相対パスを用います。相対パスにしておけば、プログラムファイルを別の場所に移動しても、そこにあるフォルダー内のデータを処理できます。絶対パスは、共有フォルダーのような固定の場所の指定に使います。

なお、「パスの区切り」に使われる記号には「円記号(¥)」、「バックスラッシュ(\)」、「スラッシュ(/)」がありますが、本書では**スラッシュを統一して用いる**こととします。

2-3 プログラムでセルの値を 読み書きしよう

◎「ブック⇒シート⇒セル」の順でアクセスする

セルの値を読み書きするには、まずブックの中から対象のシートを取得し、そのシート内のセルをアドレスで指定します。このように、セルを操作するときは必ず「ブック ⇒ シート ⇒ セル」の順でアクセスします。

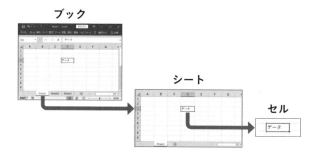

図　ブック⇒シート⇒セルの階層構造

プログラムの作成に没頭していると、この3つの階層構造を忘れがちです。この点に気を付けて、次からの説明を読んでください。

◎シートの指定は「0番目」からスタートする

ブックの中には1つ以上のシートが含まれています。そこから1つのシートを取得するには、次のように「シート名」または「番号」で指定します。

▌シートを指定する2つの方法

```
# シート名で指定
ws = wb[シート名]

# 0から始まる番号（インデックス番号）で指定
ws = wb.worksheets[番号]
```

「番号」は 0 から始めます。つまり、1 つ目のシートは 0 番です。変数 wb にはブックを読み込んで代入していますが、その wb を「シートを収めたリスト」として扱える、と考えると分かりやすいのではないでしょうか。

取得したシートは変数に代入しておきます。変数名には「WorkSheet」を略した ws がよく用いられます。

それでは、前節で読み込んだブックから、「4 月売上という名前のシート」と「2 番目のシート」を取得してみます。それぞれ、正しく取得できたか確認するために、シートの変数に .title を付けて「シート名」を print() で出力します。

xl_sheet_title.py

```
1  import openpyxl
2  wb = openpyxl.load_workbook("売上データ.xlsx")
3  ws = wb["4月売上"]          シート名で指定
4  print(ws.title)
5  ws2 = wb.worksheets[1]      インデックス番号で指定
6  print(ws2.title)
```

実行結果

```
4月売上
5月売上
```

前述のように、シートを番号で指定する方法は 0 から数えるので、ws2 に代入する「2 番目のシート」は、wb.worksheets[1] で取得します。

● セルの取得

ブックからシートが取得できたので、今度はシートからセルを取得します。シートの中から 1 つのセルを取得するには、「セル番地」と「行列番号」による 2 通りの指定方法があります。これが、2-1 節で紹介した Excel の「A1 形式」と「R1C1 形式」に対応していると考えてください。

シートの指定は 0 からでしたが、行列番号の指定は 1 から始めます。つまり、行番号＝1、列番号＝1 が A1 セルになります。R1C1 形式のセル参照が 1 から始まるので、それに合わせているのでしょう。シートの指定とは数え方が異なるので気を付けてください。

取得したセルは変数に代入しておきます。変数名には「Cell」を略した c
がよく用いられます。

■ シートからセルを取得する

```
# セル番地で指定
c = ws[セル番地]

# 1から始まる行列番号で指定
c = ws.cell(行番, 列番号)
```

前節で読み込んだブックの中の「4月売上」シートから、「A1」セルを2通
りの方法で取得してみます。次のコードのように、1つ目はセル番地「A1」
で、2つ目は「行番号＝1、列番号＝1」で指定します。それぞれ、正しく取
得できたか確認するために、セルの変数に .coordinate を付けて「セル
番地」を、.row と .column を付けて「行番号」と「列番号」を print()
で出力します。

なお、コードが長くなると読みづらくなるので、2行目、5行目のように
適宜「空白行」を挿入してください。空白行はプログラムとして実行されな
いので、任意の位置に挿入できます。

■ xl_cell_address.py

```
 1  import openpyxl
 2
 3  wb = openpyxl.load_workbook("売上データ.xlsx")
 4  ws = wb["4月売上"]
 5
 6  c = ws["A1"]        ●─────  セル番地で指定
 7  print(c.coordinate)
 8  print(c.row)
 9  print(c.column)
10  c2 = ws.cell(1, 1)  ●─────  行列番号で指定
11  print(c2.coordinate)
12  print(c2.row)
13  print(c2.column)
```

実行結果

結果は、どちらの方法でも同じセルを取得しているので、セル番地は「A1」、行列番号は「行番号＝1、列番号＝1」と出力されます。

○ セルの値を読み取る

ブック、シートの順にアクセスして、ようやくセルに辿り着きました。これで、セルの値を読み書きできます。まず「セルの値を読み取る」には、次のようにセルの変数に`.value`を付けて実行します。

セルの値の読み取り

```
# 変数cにセルが代入されている場合
c.value
```

先ほど取得した「4月売上」シートから、1行分のセルの値を読み取ってみます。次図の4行目の「A4」から「F4」までのセルから読み取ります。

	A	B	C	D	E	F	G	H
1	売上データ							
2								
3	売上日	顧客名称	商品名	単価	数量	小計		
4	2020/4/1	株式会社 鈴木商店	商品C	1200	20	24000		
5	2020/4/8	サン企画 有限会社	商品A	7200	5	36000		
6	2020/4/14	株式会社 鈴木商店	商品A	7200	3	21600		
7	2020/4/17	三和商事 株式会社	商品B	3800	10	38000		
8	2020/4/23	三和商事 株式会社	商品C	1200	50	60000		
9	2020/4/27	サン企画 有限会社	商品A	7200	8	57600		
10								
11								
12								

図 「A4」～「F4」のセルの値を読み取る

「A4」から「F4」のセルをそれぞれ変数 `c1` ～ `c6` に代入して、`.value` を付けて取得した値を `print()` で出力します。

xl_cell_get_values1.py

```python
 1  import openpyxl
 2
 3  wb = openpyxl.load_workbook("売上データ.xlsx")
 4  ws = wb["4月売上 "]
 5
 6  c1 = ws["A4"]
 7  print(c1.value)
 8  c2 = ws["B4"]
 9  print(c2.value)
10  c3 = ws["C4"]
11  print(c3.value)
12  c4 = ws["D4"]
13  print(c4.value)
14  c5 = ws["E4"]
15  print(c5.value)
16  c6 = ws["F4"]
17  print(c6.value)
```

実行結果

```
2020-04-01 00:00:00 ●———  日付のセル
株式会社 鈴木商店
商品 C
1200
20
=D4*E4 ●————————  数式のセル
```

「1200」、「20」の**数値**や「株式会社 鈴木商店」、「商品 C」の**文字列**のようなデータはセルに表示されているとおり取得できますが、**日付**と**数式**はセルの表示と異なるのが分かります。

日付が入力されているセルからは、「datetime 型」という「日時専用のデータ型」で値が取得されます。そのためセルの表示では「2020/04/01」のように年月日しか表示されていなくても、Python の出力では「**2020-04-01 00:00:00**」と時刻まで表示されます。この日時専用のデータ型の詳細は、次項のセルに値を書き込むところで説明します。

なお、Excel の日付は「シリアル値」という特別な数値で管理されています

（詳しくは p.98 のコラム参照）。シリアル値に「日付」の表示形式を設定していると、セルには日付で表示されるわけです。openpyxl は、データ読み込み時にセルの表示形式を確認し、日付なら「datetime 型」で値を取得します。

数式が入力されているセルからは、数式の計算結果ではなく「数式そのもの」が取得されます。ただし、前回 Excel でブックを開いたときの計算結果がブック内に残っている場合は、次のように load_workbook() のかっこの中に data_only=True を記入すると「計算結果の数値」を取得できます。

xl_cell_get_values2.py

```
1  import openpyxl
2
3  wb = openpyxl.load_workbook("売上データ.xlsx", data_
   only=True)
   # 以下、xl_cell_get_values1.pyと同じ
```

実行結果

```
2020-04-01 00:00:00
株式会社 鈴木商店
商品 C
1200
20
24000   ← 数式の計算結果（Noneになる場合は以下で説明）
```

ここで、最後行の計算結果が「24000」ではなく「None」と表示されることがあります。その場合は、読み込むブックを**一度 Excel で開き直して上書き保存**してください。Python で保存したブックの場合は、計算は実行されないので「None」になります。**あくまでも数式を計算できるのは Excel だけ**なので、Excel で一度計算してから保存しないと計算結果は得られません。

● セルに値を書き込む

「セルに値を書き込む」には、次のようにセルの変数に .value を付けて、そこに値を代入します。

セルへの値の書き込み

```
# 変数 cにセルが代入されている場合
c.value = 値
```

読み込みで使用した「4月売上」シートの最終行の下に、次のように1行分の売上データを追加してみます。

▲	A	B	C	D	E	F
1	売上データ					
2						
3	売上日	顧客名称	商品名	単価	数量	小計
4	2020/4/1	株式会社 鈴木商店	商品C	1200	20	24000
5	2020/4/8	サン企画 有限会社	商品A	7200	5	36000
6	2020/4/14	株式会社 鈴木商店	商品A	7200	3	21600
7	2020/4/17	三和商事 株式会社	商品B	3800	10	38000
8	2020/4/23	三和商事 株式会社	商品C	1200	50	60000
9	2020/4/27	サン企画 有限会社	商品A	7200	8	57600
10	2020/4/30	株式会社 鈴木商店	商品B	3800	12	45600

図　「4月売上」シートの最終行に売上データを追加する

　「A10」から「F10」のセルをそれぞれ変数 c1 ～ c6 に代入して、.value を付けて、そこに値を代入します。最後に、書き込んだブックを別名の「売上データ_4月修正 .xlsx」で保存します。

xl_cell_set_value.py

```
1  import openpyxl
2  import datetime
3
4  wb = openpyxl.load_workbook("売上データ.xlsx")
5  ws = wb["4月売上 "]
6
7  c1 = ws["A10"]
8  c1.value = datetime.datetime(2020, 4, 30)    ● ─── 日付のデータを作成
9  c2 = ws["B10"]
10 c2.value = "株式会社  鈴木商店 "    ●
11 c3 = ws["C10"]                            ─── 文字列
12 c3.value = "商品 B"    ●
13 c4 = ws["D10"]
14 c4.value = 3800    ●
15 c5 = ws["E10"]                            ─── 数値
16 c5.value = 12    ●
17 c6 = ws["F10"]
18 c6.value = "=D10*E10"    ● ─── 数式
19
20 wb.save("売上データ_4月修正.xlsx")
```

　実行すると、次のように「4月売上」シートの10行目にデータが追加されま

す。日付の表示形式が揃っていませんが、このあとで変更方法を説明します。

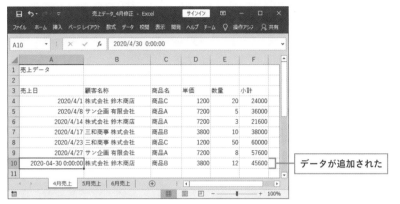

図　「4月売上」シートの10行目にデータが追加される

「株式会社 鈴木商店」、「商品B」はクォートで囲んだ**文字列**、「3800」、「12」は**数値**をそのまま代入するだけでかまいません。**数式**はクォートで囲み、文字列として代入してください。また、先頭には、Excelのセルに入力するときと同じく＝を付けてください。

- ・文字列のセル：「"商品B"」のように、文字列をセルに代入する
- ・数値のセル：「3800」のように、数値をセルに代入する
- ・数式のセル：「"=D10*E10"」のように、文字列で数式を作ってセルに代入する

日付は、「datetime型」という「日時専用のデータ型」で値を代入します。datetime型の値を作成するには、まず `import datetime` でdatetimeモジュールをインポートしておきます。日付だけの場合は、`datetime.datetime()` のかっこの中に「年, 月, 日」を指定して実行します。時刻まで必要な場合は、「年, 月, 日, 時, 分, 秒」を指定します。

▌日付データの作成方法

```
import datetime
# 日付データ
d = datetime.datetime(年, 月, 日)
# 日付＋時刻データ
dt = datetime.datetime(年, 月, 日, 時, 分, 秒)
```

今回、「A10」のセルに「2020 年 4 月 30 日」を書き込むために、セルの value に datetime.datetime(2020, 4, 30) を代入しています。

● セルの表示形式を設定する

　Excel のデータの種類には、大きく分けて「文字列」「数値」「数式」の 3 つがあります。「日付」はないのかと思われるかもしれませんが、**日付も Excel では「数値」**として扱われています。シリアル値と呼ばれる「1900 年 1 月 1 日」を「1」として数える数値を、日付の「表示形式」で表しているだけです。

　また、数値として表示する場合は、同じ値でも「表示形式」で**見た目を変える**ことができます。例えば、3 桁ごとにカンマを入れたり、0 埋めして桁数を揃えたり、小数点以下の桁数を揃えたりといったことができます。

　このような「数値の表示形式」も openpyxl で設定できます。セルの変数に .number_format を付けて = の左に置き、設定したい表示形式を「ユーザー定義の書式記号」で代入します。

┃ セルの表示形式の設定

```
# 変数 c にセルが代入されている場合
c.number_format = 表示形式(ユーザー定義の書式記号)
```

　書式記号とは、次の 2 つの表にある「yyyy」や「#」のことです。この記号を組み合わせてユーザー定義の表示形式を指定します。日付の区切り文字は任意に決められます。例えば、「**yyyy 年 mm 月 dd 日**」や「**yyyy-mm-dd**」のように指定することも可能です。

書式記号	表示結果例
yyyy/mm/dd	2020/04/01
yyyy/m/d	2020/4/1
yyyy/mm/dd hh:mm:ss	2020/04/01　09:30:00
yyyy/mm/dd h:mm:ss	2020/04/01　9:30:00

表　よく用いる日付の書式記号

　数値に用いる書式記号には、「0」と「#」があります。入力データが 0 の場合、書式記号「0」では 0 と表示されますが、書式記号「#」では何も表示されません。

入力データ	書式記号	表示結果
1200	#,##0	1,200
20	0000	0020
20	####	20
12	0.0	12.0

表　よく用いる数値の書式記号

　では、先ほどの xl_cell_set_value.py を改良して、追加するデータの「日付」と「金額」のセルに表示形式を設定してみましょう。日付は先ほど「2020-04-30 0:00:00」となってしまったので、ほかの行と同じように「2020/4/30」に揃えます。金額のほうは、3桁ずつカンマを入れた数値にします。

xl_cell_set_value_format.py

```python
import openpyxl
import datetime

wb = openpyxl.load_workbook("売上データ.xlsx")
ws = wb["4月売上 "]

c1 = ws["A10"]
c1.value = datetime.datetime(2020, 4, 30)
c1.number_format = "yyyy/m/d"        ← 日付の表示形式
c2 = ws["B10"]
c2.value = "株式会社 鈴木商店 "
c3 = ws["C10"]
c3.value = "商品 B"
c4 = ws["D10"]
c4.value = 3800
c4.number_format = "#,##0"           ← 数値の表示形式
c5 = ws["E10"]
c5.value = 12
c6 = ws["F10"]
c6.value = "=D10*E10"
c6.number_format = "#,##0"

wb.save("売上データ_4月修正書式.xlsx")
```

実行すると次のように 10 行目にデータが追加され、日付と金額に表示形式が設定されているのが確認できます。

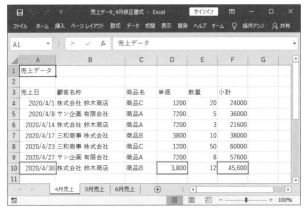

図　10行目の日付と金額に表示形式が設定される

●●● column ●●●

シリアル値

　Excel の日付は単なる数値です。それをセルの表示形式で日付として表示しているにすぎません。

　例えば、セルに「1」を入力して、表示形式を「**日付**」に変更すると、「1900/1/1」と表示されます。この数値を「シリアル値」と呼び、1900 年 1 月 1 日を「1」とする日数で表されます。「2020 年 4 月 1 日」はシリアル値では「43922」になります。

　シリアル値は、日付のセルの表示形式を「**標準**」に変更すると確認できます。一方、時刻は 24 時間を「1.0」とした小数で表します。つまり、「0.5」が正午、「0.25」が午前 6 時になります。例えば、「43922.5」は「2020 年 4 月 1 日 12:00」になります。

日付・時刻の値	シリアル値
1900 年 1 月 1 日	1
2020 年 4 月 1 日	43922
12:00	0.5
6:00	0.25
2020/4/1 12:00	43922.5

2-4 セルを1行ずつ読み書きする

鉄則！ データベースは1件のデータを1行にする

取引先のデータや社員の住所録、商品情報、売上データといった、たくさんある情報を管理するデータベースとしてExcelはよく活用されています。こうしたデータベースをExcelで作成するときは、「**1件のデータは1行に入力する**」のが鉄則です。つまり、1人分の顧客の名前、住所などのデータは1行に入力します。

この鉄則を順守することで、VLOOKUP関数やピボットテーブルとデータベースの情報が連携しやすくなります。プログラミングを使わずともExcel業務を効率化できるポイントです。皆さん、ぜひ意識しておいてください。

	A	B	C	D	E	F	G
1	顧客ID	顧客名称	部署	担当者	メールアドレス	当社営業担当	
2	C0001	株式会社 鈴木商店	調達部第1課	平松真一	hiramatsu@*****	長谷川	
3	C0002	アシスト 株式会社	総務部	徳田詩織	tokuda@*****	上田	
4	C0003	サン企画 有限会社	企画課	草野健一	kusano@*****	佐藤	
5	K0004	三和商事 株式会社	食品流通部	坂本美波	m.sakamoto@*****	中山	
6	K0005	未来商事 株式会社	調査部情報課	城戸公子	siroto@*****	有田	
7	C0006	株式会社 田中商店	営業部	河内紀夫	kawauchi@*****	松井	
8	C0007	アサヒ企画 有限会社	情報企画部	高島由衣	yui.takashima@*****	山川	

Sheet1

図　1件のデータを1行に入力した例

	A	B	C	D	E	F	G
1	C0001	顧客名称	株式会社 鈴木商店	担当者名	平松真一	当社営業担当	長谷川
2		部署	調達部第1課	メールアドレス	hiramatsu@*****		
3	C0002	顧客名称	アシスト 株式会社	担当者名	徳田詩織	当社営業担当	上田
4		部署	総務部	メールアドレス	tokuda@*****		
5	C0003	顧客名称	サン企画 有限会社	担当者名	草野健一	当社営業担当	佐藤
6		部署	企画課	メールアドレス	kusano@*****		
7	K0004	顧客名称	三和商事 株式会社	担当者名	坂本美波	当社営業担当	中山
8		部署	食品流通部	メールアドレス	m.sakamoto@*****		

Sheet1

図　作成してはいけない例

さて、このようなデータベース形式になっているシートから、Pythonで1件分のデータを検索したり登録したりするには、1行ずつ読み書きする必

要があります。幸い openpyxl には、1 行ずつ読み込める機能があります。書き込む場合は、for 文でループしながら 1 行ずつセルを移動すれば簡単に処理できます。

では、実際にどうやってプログラミングするか見ていきましょう。

◎ Excelファイルを1行ずつ読み込む

openpyxl の iter_rows() と for 文を組み合わせると、「1 行分のセル」をループで 1 行ずつ取得できます。次のように、for 文の in の後ろに ws.iter_rows() を書きます。かっこの中に何も入れないと、「行番号＝1、列番号＝1」(つまり、A1 セル)から順次取得を始めますが、min_row= と min_col= で開始する行と列の番号を指定することもできます。ヘッダーや行見出しがある表でデータだけ取得する場合に利用します。

┃ for 文で 1 行ずつ読み込む

```
for row in ws.iter_rows(min_row=行番号, min_col=列番号):
    処理
```

本章のサンプルの「売上データ.xlsx」は、1 行が 1 件分の売上データです。このブックの「4 月売上」シートから売上データを 1 行ずつ取得して、print() で表示してみます。このシートはデータが 4 行目から始まっているので、iter_rows() のかっこの中には「min_row=4」を指定します。

┃ xl_read_rows.py

```
1  import openpyxl
2
3  wb = openpyxl.load_workbook("売上データ.xlsx")
4  ws = wb["4月売上 "]
5
6  for row in ws.iter_rows(min_row=4):
7      print(row)
```

実行結果

```
(<Cell '4月売上'.A4>, <Cell '4月売上'.B4>, <Cell '4月売上'.C4>,
<Cell '4月売上'.D4>, <Cell '4月売上'.E4>, <Cell '4月売上'.F4>)
(<Cell '4月売上'.A5>, <Cell '4月売上'.B5>, <Cell '4月売上'.C5>,
<Cell '4月売上'.D5>, <Cell '4月売上'.E5>, <Cell '4月売上'.F5>)
...途中略
(<Cell '4月売上'.A9>, <Cell '4月売上'.B9>, <Cell '4月売上'.C9>,
<Cell '4月売上'.D9>, <Cell '4月売上'.E9>, <Cell '4月売上'.F9>)
```

　表示された結果を見ると、1 行分のセルが「丸かっこ ()」で囲まれているのが分かります。リストは「角かっこ []」で囲みましたが、これは「**タプル**」と呼ばれるデータ型です。タプルは、リストと同様に複数のデータを格納できますが、あとから要素を追加したり変更したりすることができません。つまり、「読み取り専用」に使われます。

　このように「1 行分のセル」はタプルで取得されます。ここから、「1 つのセル」を 1 つずつ取得するには、リストと同じように for 文が使えます。

　次のコードでセルの値を全部表示してみましょう。セルの値は、.value で取得できましたね。ここではセルの値を直に出力するのではなく、1 行読み込むごとに「空のリスト」を作成して、その中にセルの値を 1 つずつ 1 行分すべて追加してから、print() でリストを表示します。これにより、1 行ごとにセルの値が表示されるので、見やすくなります。また、1 行分の値をリストに入れておくと、別シートにそのままコピーできるので、2-6 節のプログラムでもこの読み取り方を利用しています。

xl_read_rows_value.py

```
1  import openpyxl
2
3  wb = openpyxl.load_workbook("売上データ.xlsx")
4  ws = wb["4月売上"]
5
6  for row in ws.iter_rows(min_row=4):
7      value_list = []          ←──────── 空のリストを作成
8      for c in row:
9          value_list.append(c.value)    ┐ 1行の中のセルの値を
10     print(value_list)                 ┘ 1つずつリストに追加
```

```
[datetime.datetime(2020, 4, 1, 0, 0), '株式会社 鈴木商店 ', '商品
C', 1200, 20, '=D4*E4']
[datetime.datetime(2020, 4, 8, 0, 0), 'サン企画 有限会社 ', '商品
A', 7200, 5, '=D5*E5']
[datetime.datetime(2020, 4, 14, 0, 0), '株式会社 鈴木商店 ', '商
品A', 7200, 3, '=D6*E6']
[datetime.datetime(2020, 4, 17, 0, 0), '三和商事 株式会社 ', '商
品B', 3800, 10, '=D7*E7']
[datetime.datetime(2020, 4, 23, 0, 0), '三和商事 株式会社 ', '商
品C', 1200, 50, '=D8*E8']
[datetime.datetime(2020, 4, 27, 0, 0), 'サン企画 有限会社 ', '商
品A', 7200, 8, '=D9*E9']
```

　ここで、次のように最後に「None」だけの行が表示されることがあります。`iter_rows()` はデータが入力されている最終行を自動的に認識して、そこまで1行ずつ列挙してくれます。しかし、以前データが入力されていたセルや書式設定があると、空欄でもそこまで認識してしまうのです。

▌「**None**」だけの行が表示されることがある

```
...
[datetime.datetime(2020, 4, 27, 0, 0), 'サン企画 有限会社 ', '商
品A', 7200, 8, '=D9*E9']
[None, None, None, None, None, None] ●━━━ Noneだけの行
```

　そこで、1列目のセルが空欄になったら終了させましょう。次のように、1列目のセルの値（`row[0].value`）が None の場合は、`break` でループを終了します。空欄のセルの値は None になるので、「`is None`」で判別できます。

▌1列目が **None** の場合は **break** で読み込み終了

```
...
for row in ws.iter_rows(min_row=4):
    if row[0].value is None:          ●━━━ 1列目のセルの値がNone
        break  ●                            かどうかを判定
    value_list = []  ━━━ ループを終了
    for c in row:
        value_list.append(c.value)
    print(value_list)
```

102

・・・ column ・・・

Noneとは

Python では、「値がない」ことを None（ナンと呼びます）という特別な
キーワードで表します。そして、None であるかを判定するには、「==
None」ではなく「is None」を使います。通常はどちらでも判定できます
が、== では判定できないケースが存在するので、is で確実に判定するよう
にします。

○ Excelファイルに1行ずつ書き込む

前節で学んだ「セルに値を書き込む (p.93)」では、1行分だけデータを書
き込みました。1行ずつ複数行分のデータを書き込むには、この作業をルー
プで繰り返すだけです。ここでポイントとなるのが「1行ずつセルを移動す
る方法」です。

例えば、「セル番地のセル指定 (A1 形式)」を使って A 列で1行ずつ下に
移動するには、行番号を指定する整数型の変数 row_num の値を1つずつ
増やします。row_num は整数型なので、そのままでは文字列の "A" と結
合できません。str() で文字列型に変換してから結合します。これで、
row_num をループ内で1つずつ増やせば、A1、A2、A3……のように「セ
ル番地」が変化するので、1行ずつ下に移動できます。

▌ **A1 形式で A 列の参照先を指定する**

```
c = ws["A" + str(row_num)]
```
整数型の値を文字列型に変換

同じ動作を次のように「行列番号のセル指定 (R1C1 形式)」でもできます。
どちらを使用してもかまいません。

▌ **R1C1 形式で A 列の参照先を指定する**

```
c = ws.cell(row_num, 1)
```
行番号　　　　　　列番号

文字列型と整数型はそのままだと結合できない

「文字列型」に「整数型」を結合しようとするとどうなるか、第1章で紹介した「対話モード」で試してみましょう。すると、次のように「TypeError: can only concatenate str (not "int") to str」とエラーが表示されます。これは、「文字列型に結合できるのは文字列型だけ」という意味の指摘です。そこで、str(1) として数値を文字列型に変換して結合します。

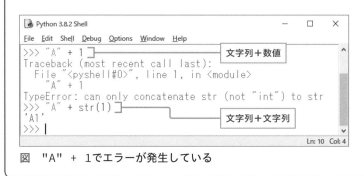

図 "A" + 1でエラーが発生している

　サンプルの「売上データ.xlsx」の「6月売上」シートには、まだデータが入力されていないので、プログラムで書き込んでみます。

　書き込む3行分のデータは、次のコードのように変数 data_list に代入しておきます（8〜12行目）。変数 data_list はリストです。このリストは「リストの中にまたリスト」を持つ構造になっています。このようにすることで、**複数行のデータを1つのリストに格納**でき、ループで1行ずつ処理することができます。

　このリストを作成するコードでは、1行分のデータごとに改行しています。Python ではかっこ内で改行しても意味が変わらないので、このように適宜改行して見やすく書くことができます。

　今回は「セル番地のセル指定（A1形式）」を使って、行番号を指定する変数 row_num を変更する方式で、書き込む行を1行ずつ下にずらします。ループの最後で row_num = row_num + 1 を実行すると、row_num を1つずつ増やすことができます（33行目）。

　変数 data_list に収めた1行分のリストは、A列〜E列に書き込みます。残ったF列には、文字列の結合で組み立てた数式を書き込みます（31

行目)。表示形式は、日付の「A列」だけに設定しています(20行目)。

　最後に書き込んだブックを別名の「売上データ_6月入力.xlsx」で保存します。

xl_write_rows.py

```
 1  import openpyxl
 2  from datetime import datetime
 3
 4  wb = openpyxl.load_workbook("売上データ.xlsx")
 5  ws = wb["6月売上 "]
 6
 7  # 書き込むデータ
 8  data_list = [
 9  [datetime(2020,6,1), "株式会社 鈴木商店 ", "商品A", 7200, 30],
10  [datetime(2020,6,3), "サン企画 有限会社 ", "商品A", 7200, 15],
11  [datetime(2020,6,9), "株式会社 鈴木商店 ", "商品C", 1200, 20]
12  ]
```

| A列 | B列 | C列 | D列 | E列 |

```
14  # 書き込み開始行番号
15  row_num = 4
16
17  for row in data_list:
18      c1 = ws["A" + str(row_num)]
19      c1.value = row[0]
20      c1.number_format = "yyyy/m/d"
21      c2 = ws["B" + str(row_num)]
22      c2.value = row[1]
23      c3 = ws["C" + str(row_num)]
24      c3.value = row[2]
25      c4 = ws["D" + str(row_num)]
26      c4.value = row[3]
27      c5 = ws["E" + str(row_num)]
28      c5.value = row[4]
29      c6 = ws["F" + str(row_num)]
30      # 数式の組み立て
31      c6.value = "=D" + str(row_num) + "*E" + str(row_num)
32      # 1行進む
33      row_num = row_num + 1
34
35  wb.save("売上データ_6月入力.xlsx")
```

コードが書けたら、プログラムを実行してみましょう。次図のように、「6月売上」シートに3行分のデータが書き込まれているのを確認できるはずです。

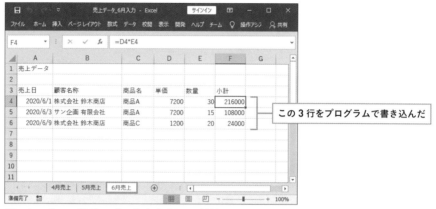

図　シートに1行ずつデータを書き込んだ結果

<table>
<tr><td>2-5</td><td>

シートの操作方法を 覚えよう

</td></tr>
</table>

● よく使うシートの操作も Python から実行できる

Excel では、「シートのタブ」を右クリックすることで、シートの各種操作をおこないます。なかでも、日常的によく用いるのが、「挿入」「削除」「名前の変更」「移動またはコピー」ではないでしょうか。本節では、これらの操作を Python から実行してみましょう。

図 よく用いるシート操作のメニュー項目

● シートの挿入

シートを挿入するには、ブックの変数に `create_sheet()` をドットでつなげて実行します。このとき、かっこの中に `index=` 番号を指定すると、シートを挿入する位置を指定できます。この番号は `0` から始まり、「`0`」を指定すると先頭に挿入されます。

シートの挿入（位置を指定）

```
# 挿入位置は 0 から始まる番号で指定
ws_new = wb.create_sheet(index=番号 )
```

末尾に挿入したい場合は、`create_sheet()` のかっこの中には何も指定しません。

シートの挿入（末尾）

```
ws_new = wb.create_sheet()
```

では、サンプルの「売上データ.xlsx」の先頭と末尾にシートを挿入してみましょう。`create_sheet()` を実行すると同時にその挿入したシートが得られるので、それぞれ変数 `ws_new1` と変数 `ws_new2` に代入しておきます。

107

それらの title を print() で表示して、挿入したシート名を確認します。
最後に、別名の「売上データ_シート挿入.xlsx」としてブックを保存します。

xl_sheet_insert.py

```python
1  import openpyxl
2
3  wb = openpyxl.load_workbook("売上データ.xlsx")
4  # 先頭に挿入
5  ws_new1 = wb.create_sheet(index=0)
6  # 末尾に挿入
7  ws_new2 = wb.create_sheet()
8
9  # シートの名前を表示
10 print(ws_new1.title)
11 print(ws_new2.title)
12
13 wb.save("売上データ_シート挿入.xlsx")
```

実行結果

```
Sheet
Sheet1
```

　保存したブックを開くと、次のように先頭と末尾にシートが挿入されているはずです。それぞれのシート名は、挿入した順に「Sheet」「Sheet1」と自動で名前が付けられます。好きなシート名で挿入するには、create_sheet() のかっこの中に title=シート名を指定します（p.118 のコードの 31 行目で使用しています）。

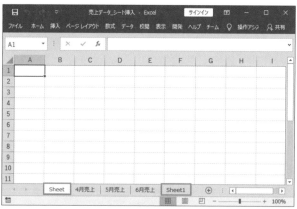

図　先頭と末尾にシートが挿入される

○ シートの削除

ブックからシートを1つ削除するには、次のようにブックの変数に `remove()` をドットでつなげて実行します。このとき、かっこの中には削除したいシートを指定します。

シートを削除

```
wb.remove(削除するシート)
```

これまでのように p.88 の方法でシートを「シート名」や「番号」で指定すれば、次のようにシートをブックから削除できます。

シート名を指定してシートを削除

```
ws = wb[シート名]
wb.remove(ws)
```

0 から始まる番号を指定してシートを削除

```
ws = wb.worksheets[番号]
wb.remove(ws)
```

先ほど「売上データ.xlsx」にシートを挿入して保存した「売上データ_シート挿入.xlsx」から、先頭に挿入したシートを削除してみます。

xl_sheet_remove.py

```
1  import openpyxl
2
3  wb = openpyxl.load_workbook("売上データ_シート挿入.xlsx")
4  ws = wb.worksheets[0]
5
6  wb.remove(ws)          ← シートを削除
7  wb.save("売上データ_シート挿入.xlsx")
```

シートを削除した元のブックを同じファイル名で「上書き保存」しています。プログラムを実行し、ブックを Excel で開くと、先頭に挿入されていた「Sheet」という名前のシートが削除されていることを確認できます。

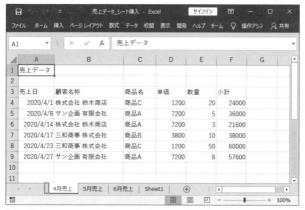

図　先頭のシート（シート名「Sheet」）が削除された

◎シートの名前の変更

いままで**シート名を確認する**には、シートを代入した変数に `.title` を付けて名前を取得していましたね。**シート名を変更する**場合は、そこに新しい名前を代入するだけです。

▌シートの名前の変更

```
ws.title = 新しいシート名
```

「売上データ_シート挿入.xlsx」の末尾にある「Sheet1」という名前のシートを「第1四半期」という名前に変更してみます。

▌xl_sheet_rename.py

```
1  import openpyxl
2
3  wb = openpyxl.load_workbook("売上データ_シート挿入.xlsx")
4  ws = wb["Sheet1"]
5  ws.title = "第1四半期 "  ●───[ シート名の変更 ]
6
7  wb.save("売上データ_第1四半期.xlsx")
```

シート名を変更したブックは「売上データ_第1四半期.xlsx」という別名のブックに保存しています。Excel で開くと、次のようにシート名が変更されていることが確認できます。

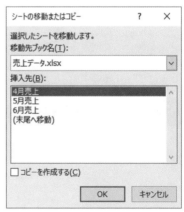

図　末尾のシートの名前が変更された（「Sheet1」→「第1四半期」）

○ シートの移動またはコピー

　Excelでシートを移動（もしくはコピー）するには、シートのタブを右クリックして［移動またはコピー］を選択します。すると、次のダイアログが表示されます。

　このダイアログで挿入する場所を選択して、シートを移動またはコピーします。［コピーを作成する］のチェックがオフの場合は「移動」、オンにすると「コピー」をおこないます。これと同じことがopenpyxlでも可能ですが、**「ブック間」でのシートの移動またはコピーはできません**。執筆時点では、openpyxlにほかのブックにシートを移動したりコピーする機能はありません。

図　［シートの移動またはコピー］ダイアログボックス

　同じブック内でシートを移動するには、次のようにブックの変数に move_sheet() をドットでつなげて実行します。かっこの中には、「移動するシート」と「いくつ移動するか（offset といいます）」を指定します。offset は、0ならば移動しません。「プラスの数」では右に、「マイナスの数」では左に移動します。

■ シートの移動

```
ws = 移動するシート
wb.move_sheet(ws, offset=いくつ移動するか)
```

　シートの名前を変更して保存した「売上データ_第1四半期.xlsx」の末尾にある「第1四半期」シートを先頭に移動してみます。末尾のシートは、`worksheets[]`の番号を「`-1`」で指定すると簡単に取得できます。これは第1章で紹介した、リストで末尾の要素を取得するのと同じ方法です。先頭に移動するには、左に3つ移動すればよいので「`offset=-3`」を指定します。

xl_sheet_move1.py

```
1  import openpyxl
2
3  wb = openpyxl.load_workbook("売上データ_第1四半期.xlsx")
4  ws = wb.worksheets[-1]          ●──── 末尾のシートを取得
5
6  wb.move_sheet(ws, offset=-3)    ●──── 左に3つ移動する
7  wb.save("売上データ_第1四半期.xlsx")
```

　上書き保存した「売上データ_第1四半期.xlsx」を Excel で開くと、次のようにシートが移動したのを確認できます。

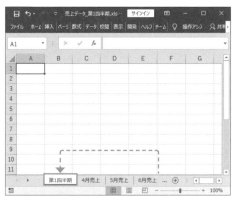

図　「第1四半期」シートが先頭に移動した

　なお、「末尾から先頭へ」はいくつ移動すればよいかは、次のように全部のシート枚数を `len(wb.worksheets)` で取得すれば、計算により求めることもできます。

112

xl_sheet_move2.py

```
5   # 4行目まで xl_sheet_move1.pyと同じ
6   to_top = 1 - len(wb.worksheets)          シートの総数から先頭への
7   wb.move_sheet(ws, offset=to_top)         移動量を計算
8   wb.save("売上データ_第1四半期.xlsx")
```

2

Python で Excel ファイルを操作する

シートのコピーを作成するには、ブックの変数に `copy_worksheet()` をドットでつなげて実行します。かっこの中にシートを指定すれば、そのコピーが末尾に追加されます。コピーしたシートの名前には元の名前に「Copy」が付きます。

シートのコピーを作成（末尾に追加）

```
ws = コピーするシート
ws_copy = wb.copy_worksheet(ws)
```

本章で利用しているサンプルブックの「売上データ.xlsx」にある「4月売上」シートのコピーを作成してみましょう。次のように `wb.copy_worksheet(ws)` でコピーが作成されます。この命令を実行すると同時にコピーしたシートが得られるので変数 `ws_copy` に代入しておき、その `title` に新しいシート名を代入しています。

xl_sheet_copy.py

```
 1   import openpyxl
 2
 3   wb = openpyxl.load_workbook("売上データ.xlsx")
 4   ws = wb["4月売上 "]
 5
 6   ws_copy = wb.copy_worksheet(ws)          シートのコピーを作成
 7   # シート名変更
 8   ws_copy.title = "4月作業用 "
 9
10   wb.save("売上データ_作業用.xlsx")
```

シートをコピーしたブックは「売上データ_作業用.xlsx」という別名で保存しています。Excel で開くと、「4月売上」シートのコピーが末尾に作成され、「4月作業用」と名前が変更されていることが確認できます。

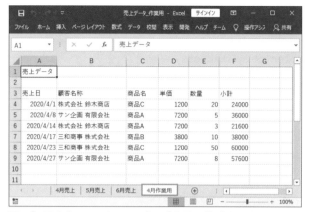

図 「4月売上」シートのコピーが末尾に作成された

○ 任意の位置にシートのコピーを挿入する

　任意の位置にシートのコピーを挿入したい場合は、どうすればよいでしょうか。それには、「コピーを作成」してから「シートの移動」をおこないます。例えば、先頭に挿入するのであれば、前項のコードに次のように1行追加するだけです。

`xl_sheet_copy_to_top.py`

```python
 1  import openpyxl
 2
 3  wb = openpyxl.load_workbook("売上データ.xlsx")
 4  ws = wb["4月売上 "]
 5
 6  ws_copy = wb.copy_worksheet(ws)
 7  ws_copy.title = "4月作業用 "
 8
 9  # 末尾に作成されたシートのコピーを先頭に移動
10  wb.move_sheet(ws_copy, offset=-3)  ●━━ コードを追加
11
12  wb.save("売上データ_作業用.xlsx")
```

114

● 新しいブックにシートをコピーする

また、「新しいブック」にシートをコピーしたい場合は、どうすればよい
でしょうか。先述のとおり openpyxl ではブック間のコピーはできないので、
工夫が必要です。この場合は、コピーしたいシートだけを残して、別名で保
存すれば、同じことが可能です。次のように、すべてのシートをループして、
`title` で名前をチェックして、シート名が「4月売上」以外は削除します。

`xl_sheet_copy_to_book.py`

```
1  import openpyxl
2
3  wb = openpyxl.load_workbook("売上データ.xlsx")
4
5  for ws in wb.worksheets:
6      if ws.title != "4月売上":        ──  シート名が「4月売上」でない
7          wb.remove(ws)                    場合は削除
8
9  wb.save("売上データ_4月のみ.xlsx")  ●──  別名で保存すれば新しい
                                            ブックを作成したのと同じ
```

プログラムを実行すると、次のように「4月売上」シートだけのブックを
別名で保存できます。

図 「4月売上」シートをコピーした新しいブックを作成できた

複数のシートをまとめる

◎ 面倒な手作業もPythonなら一瞬で片付けられる

　複数シートのデータを1つにまとめるといった作業は、日常の業務でよくあると思います。シート数が増えると手作業では面倒になるので、ぜひプログラミングで対応したいところです。Pythonで実現するには、これまで説明したopenpyxlの機能を使ってプログラミングすれば可能です。

　ここでは、「同じブック内のシートを1つにまとめる方法」と「複数のブックの同名のシートをまとめる方法」を紹介します。ぜひ実践的なプログラムを作成する場合の参考にしてください。

◎ 複数のシートを1つにする

　1シートごとに入力されている4月～6月の売上を1つにまとめて別名のブックに保存してみます。つまり、第1四半期分を1つのシートにまとめます。サンプルには「6月売上」シートにもデータを書き込んである「売上データ_6月入力.xlsx」を用います。

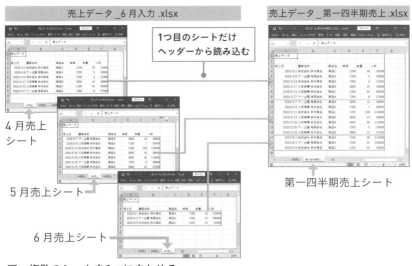

116　図　複数のシートを1つにまとめる

　このときに、前図のように1つ目のシートはヘッダーを含めて読み込みます。2つ目のシートからはデータのみを読み込みます。こうすることで、つなぎ合わせたときに1セット分の表データが揃うようにします。

　次のコードでは、row_list という空のリストを作成しておき、この中に3つのシートの行を順次追加していきます。そして row_list のデータを、新しく作成したシート「第1四半期売上」に1行ずつ append() で追加して、最後に別名で保存します。

　また、is_first_sheet という「1つ目のシートかどうか」を記録する変数を用意しておきます（6行目）。最初は True を代入しておき、1つ目のシートのループが完了したら False に切り替えます（28行目）。そして、is_first_sheet が True の場合には「1」行目から、False の場合はヘッダーを除いた「4」行目からシートを読み込みます。

xl_sheets_merge.py

```
1  import openpyxl
2
3  wb = openpyxl.load_workbook("売上データ_6月入力.xlsx")
4
5  # 1つ目のシートかどうか
6  is_first_sheet = True
7
8  # このリストに全シートから読み取ったデータをまとめる
9  row_list = []            ●空のリストを作成
10
11  # ブックの中のすべてのシートを処理
12  for ws in wb.worksheets:
13
14      if is_first_sheet:
15          start_row = 1
16      else:
17          start_row = 4        2つ目以降のシートで
                                 読み込み位置を変える
18
19      for row in ws.iter_rows(min_row=start_row):
20          # ヘッダー（1〜3行目）より下で空行になったら読み込み終了
21          if row[0].row > 3 and row[0].value is None:
22              break
23          value_list = []
24          for c in row:
25              value_list.append(c.value)
```

```python
26          row_list.append(value_list)    ②リストにデータを追加
27
28      is_first_sheet = False    1つ目のシートは読み込んだので
                                  Falseを代入
29
30  # データを転記する新しいシート
31  ws_new = wb.create_sheet(title="第1四半期売上 ")
32
33  # 書き込み時の行番号
34  row_num = 1
35
36  # 新しいシートに1行ずつデータを書き込む
37  for row in row_list:    ③リストからデータを取り出す
38      # 1行分のデータを書き込む
39      ws_new.append(row)
40
41      # データ部分の A列に日付の表示形式を設定し、F列の数式を書き換え
42      if row_num > 3:
43          ws_new.cell(row_num, 1).number_format = "yyyy/m/d"
44          ws_new.cell(row_num, 6).value = "=D" +
    str(row_num) + "*E" + str(row_num)
45      row_num = row_num + 1
46
47  # 別名でブック保存
48  wb.save("売上データ_第1四半期売上.xlsx")
```

23〜25行目では value_list.append(c.value) で、セルの変数 c の値を取り出してから value_list に追加しています。これは、openpyxl ではセルの状態のままでは別シートにコピーできないためで、セルの値をいったんすべてリストに保存しています。

では、プログラムを実行してみましょう。右のように、新し

図　ブックの中のシートを1つにまとめた結果

く追加された「第1四半期売上」シートに、4月〜6月の売上がまとめられているのを確認できます。

◦複数のブックをシート名ごとにまとめる

今度は、複数のブックにある同名のシートをまとめて、新しいブックに保存してみます。次のように「各支店の売上データ」のブックを読み取り、「全国の売上」を月ごとのシートにまとめます。

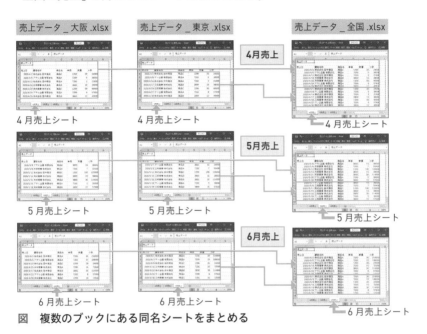

図 複数のブックにある同名シートをまとめる

各支店の売上データのブックは、次のように「売上全支店」というサブフォルダーに入っているとします。例では、東京と大阪しかありませんが、このフォルダーに入っているブックはいくつでも読み込めるようにします。

図 プログラムとブックのフォルダー構成

フォルダーの中にあるファイルを1つずつ取得するには、次のようなループを用います。検索するフォルダーで pathlib の Path() を作成し、そ

こに glob() で「検索パターン」を指定します。

▍フォルダー内のファイルを 1 つずつループ

```
from pathlib import Path

for file in Path(フォルダーのパス).glob(検索パターン):
    処理
```

　検索パターンでは任意の文字列にマッチする「ワイルドカード」と呼ばれる文字を利用できます。よく用いるのは、0 文字以上の文字列とマッチする「*」です。拡張子が xlsx のファイルすべてを検索するなら、「*.xlsx」と指定します。

　コードでは、「売上全支店」フォルダーにある「拡張子が xlsx のブック」を load_workbook() で 1 つずつ読み込み、リスト wb_list に append() で順次入れておきます（5 〜 8 行目）。

　openpyxl.Workbook() を実行すると新たにブックが作成されるので、それを変数 wb_new に代入しておきます（11 行目）。まとめた売上データは、このブックにシートを追加して書き込みます。なお、ブックの作成時に 1 つのシートが自動で追加されますが、そのシートは今回利用しないので、プログラムの最後で保存する前に削除します（64 〜 65 行目）。

▍新しいブックの作成

```
wb_new = openpyxl.Workbook()
```

　今回のプログラムでは、同じシート名でまとめる繰り返し処理をします。前ページのイメージ図で説明すると、上から「4 月売上」→「5 月売上」→「6 月売上」のシート名ごとに処理します。それぞれのシート名について、複数のブックからデータを読み取って新しいブックにまとめます。

　同じシート名ごとに処理するには、1 つ目のブックから .sheetnames で取得したシート名のリストを使用します（14 行目）。そのリストを代入した sheet_names を用いて、シート名ごとのループ処理をします（17 行目）。

　このループの中では最初に変数 sheet_name に代入されている名前でデータを書き込むためのシートを追加しておきます（19 行目）。

　21 行目からは、1 つのシートにまとめる処理なので、前項のプログラム

とほとんど同じです。おもな違いは、データを読み取るシートをループさせる部分です。前項では1つのブック内のシートをループしましたが、今回は次のように「複数のブックをループさせて同名のシートだけを処理」します。

■ 前項とのループ方法の違い

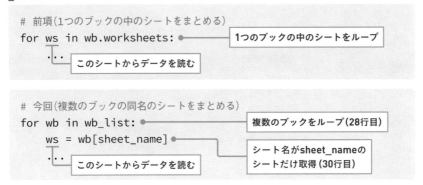

```
# 前項（1つのブックの中のシートをまとめる）
for ws in wb.worksheets:    ←──── 1つのブックの中のシートをループ
  ...    このシートからデータを読む
```

```
# 今回（複数のブックの同名のシートをまとめる）
for wb in wb_list:    ←──── 複数のブックをループ（28行目）
  ws = wb[sheet_name]    ←── シート名がsheet_nameの
  ...    このシートからデータを読む    シートだけ取得（30行目）
```

全体のコードは少し長くなりますが、次のようになります。

■ xl_books_merge.py

```python
1   import openpyxl
2   from pathlib import Path
3
4   # 各支店ブックの読み込み
5   wb_list = []
6   for file in Path("売上全支店").glob("*.xlsx"):
7       wb = openpyxl.load_workbook(file)
8       wb_list.append(wb)
9
10  # 保存先の新しいブック
11  wb_new = openpyxl.Workbook()
12
13  # 1つ目のブックからシート名のリストを取得
14  sheet_names = wb_list[0].sheetnames
15
16  # シート名ごとに処理
17  for sheet_name in sheet_names:
18      # このシートに書き込む
19      ws_new = wb_new.create_sheet(sheet_name)    ←── シートを追加
20
21      # 1つ目のブックかどうか
```

```
22      is_first_book = True
23
24      # このリストに全ブックから読み取ったデータをまとめる
25      row_list = []  ●━━━❶空リストを作成
26
27      # 各支店のブックごとにデータ読み込み
28      for wb in wb_list:
29          # 読み込むシート
30          ws = wb[sheet_name]
31
32          if is_first_book:
33              start_row = 1
34          else:
35              start_row = 4  ●━━━ 2つ目以降のシートで
36                                   読み込み位置を変える
37          # シートから1行ずつデータを読み込む
38          for row in ws.iter_rows(min_row=start_row):
39                  # ヘッダーより下で空行になったら読み込み終了
40                  if row[0].row > 3 and row[0].value is None:
41                      break
42                  value_list = []  ━━━❷リストにデータを追加
43                  for c in row:
44                      value_list.append(c.value)
45                  row_list.append(value_list)  ●
46
47          is_first_book = False  ●━━━ 1つ目のシートは読み込んだので
48                                       Falseを代入
49      # 書き込み時の行番号
50      row_num = 1
51
52      # シートに1行ずつデータを書き込む
53      for row in row_list:  ●━━━❸リストからデータを取り出す
54          # 1行分のデータを書き込む
55          ws_new.append(row)
56
57          # データ部分のA列に日付の表示形式を設定し、F列の数式を書き換え
58          if row_num > 3:
59              ws_new.cell(row_num, 1).number_format =
    "yyyy/m/d"
60              ws_new.cell(row_num, 6).value = "=D" +
    str(row_num) + "*E" + str(row_num)
61          row_num = row_num + 1
62
```

```
63  # 作成時の既存シートを取り除く
64  ws_first = wb_new.worksheets[0]
65  wb_new.remove(ws_first)
66
67  wb_new.save("売上データ_全国.xlsx")
```

2

Python で Excel ファイルを操作する

　プログラムを実行すると「売上データ_ 全国.xlsx」が新しく作成され、次のように「同じ月ごと」に売上データがまとめられているのを確認できます。

図　複数ブックを同名シートごとにまとめた結果

••• column •••

row_list の使い方に着目！

　複数のシートやブックをまとめるプログラムは、コードも長く難しく感じるかもしれません。しかし、実施している内容は「まとめたいデータをrow_list に全部追加して、最後にその中身をシートに書き込んでいるだけ」です。そう考えれば、プログラムを読み解きやすくなります。

　コードに補足してあるように、まず「①空リスト」の row_list を作成しておきます。そこにまとめたい「②データを追加」したら、最後に「③データを取り出して」シートに書き込みます。

　複数の場所にあるデータを1つにまとめるには、このように1つの空リストを作成しておき、そこに順次データを追加します。次章の複数の CSV ファイルをまとめるプログラムでも、同じ方法を用いています。

123

2-7 絶対に覚えておきたい プログラミングのコツ

◉ 動かしながら作る

いざプログラムを作成しようとしても、最初のうちはどこから手をつけたらよいか、考え込んでしまうのが普通です。そんなときはまず、「ブックの読み込み」と「ブックの保存」の部分を書いてしまいましょう。最初と最後の部分を先に書いて、それから、その間の処理を順々に埋めていくのです。

次に、対象の「シート」を取得して、そこに何かデータを書き込むのが目的であれば、1行分だけデータを書き込むところまでコードを作ります。そうしたら、この時点でプログラムを一度実行して、保存したブックで意図したとおりに動作しているか確認しましょう。うまくいったら、その部分をループにして全行に書き込みます。

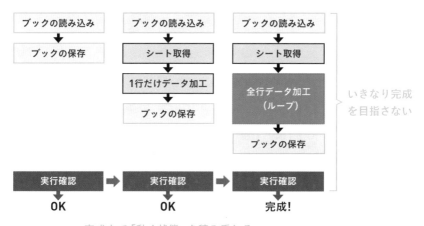

完成まで「動く状態」を積み重ねる

図　プログラムは動く状態を積み重ねて完成させる

このように、いきなり全部の処理をしようとせず、まずは**単純な処理でちゃんと動くプログラム**を作成してください。そこから、順々に機能を充実させます。最初から細部にこだわると、いつまで経っても「動くプログラ

ム」がないので、「コードを書いて、結果を確認しながら作り上げる」という
サイクルを回すことができないのです。

● 間違っていないか途中で随時確認する

「プログラムを実行してみたら、結果が間違っている」。そんなときは、
最初は途方にくれます。でも、やることは1つです。**「どこで間違っている
のか」を突き止める**しかありません。そのためには、「print()を用いて
プログラムの途中経過を随時出力」して確かめます。print()で出力した
内容が合っているかを要所でチェックすることで、不具合の原因になってい
る箇所を特定します。

しかし、ループでは出力内容が膨大になることがあります。その場合に
は、ループの回数を少なくします。例えば、iter_rows()を用いたルー
プであれば、iter_rows(min_row=4, max_row=5)のように「max_
row」も指定して、ループ回数を少なくして不具合が生じるか確認してみま
す。

また、プログラムの一部を「#」でコメントにして一時的にプログラムか
ら外し、結果がどう変わるかで調べる方法もあります。これは、特にエラー
の原因を探す場合に有効です。一部をコメント化してみて、エラーが出なく
なれば、その部分にエラーの原因があると分かります。

● エラーは上達の好機

プログラミングをしていると日常的にエラーに遭遇します。しかし、エ
ラーが出てもあせらないで、**必ずエラーメッセージをよく読んでください。**

エラーメッセージは、解決のための貴重な情報です。最初は何が書いて
あるか分からないと思いますが、**メッセージの部分をインターネットで検
索してみる**と多くの手がかりを得られます。

エラーになると赤字で何行も表示されることがありますが、いちばん最
後のメッセージの部分を検索してみてください。例えば、次ページの図のよ
うなエラーが表示されたら、「PermissionError: [Errno 13] Permission
denied:」の部分です。この場合は、Excelブックを開いたまま書き込もうと
してエラーになったことが、検索結果から分かります。

図　エラーメッセージの最後の部分を検索して、原因を究明する

　エラーが出たら、検索で調べて、直す——その繰り返しにより、プログラミングは上達します。だから、エラーが出たら上達の好機と捉えて、エラー解決に挑んでください。

第3章

Pythonで
CSVファイルを
操作する

本章では、
Excelでは手間のかかる
「CSVファイルの前処理」をプログラミングで
省力化するテクニックを紹介します。
必要な部分を抽出したり、
1つのファイルにまとめたりといった作業が
一瞬で済ませられるようになります。

CSVファイルを
読み込んでみよう

○ CSVファイルの実態はただのテキストファイル

そもそも「**CSV** (Comma Separated Values) ファイル」とは、カンマでデータを区切った「テキストファイル」のことです。単なるテキストファイルなので、次のようにメモ帳で開いて中身を確認することもできます。

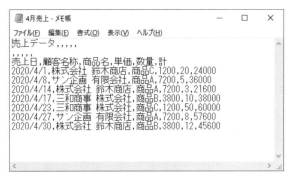

図　CSVファイルをメモ帳で表示

同じデータを Excel で開くと次のように表示されます。このように、CSVファイルのカンマで区切られた個々のデータが、Excel の 1 つのセルに対応します。

	A	B	C	D	E	F	G
1	売上データ						
2							
3	売上日	顧客名称	商品名	単価	数量	計	
4	2020/4/1	株式会社 鈴木商店	商品C	1200	20	24000	
5	2020/4/8	サン企画 有限会社	商品A	7200	5	36000	
6	2020/4/14	株式会社 鈴木商店	商品A	7200	3	21600	
7	2020/4/17	三和商事 株式会社	商品B	3800	10	38000	
8	2020/4/23	三和商事 株式会社	商品C	1200	50	60000	
9	2020/4/27	サン企画 有限会社	商品A	7200	8	57600	
10	2020/4/30	株式会社 鈴木商店	商品B	3800	12	45600	
11							
12							

図　CSVファイルをExcelで表示

CSV ファイルは単純で扱いやすく、「表データ」の受け渡しに汎用性の高いファイル形式です。そのため、企業の基幹システムからのデータダウンロードや、公共データの Web 公開などに、幅広く利用されています。また、ほとんどの会計ソフトは、CSV ファイルでデータを入出力できます。

CSVファイルの加工・変換をPythonで自動化！

勤め先の基幹システムからダウンロードした CSV ファイルを Excel に取り込んで加工する……なんて業務、皆さんもよく経験しているのではないでしょうか。しかし、CSV を Excel に取り込んで必要なデータだけ抜き出したり、複数の CSV ファイルを Excel で 1 つにまとめたりするのはなかなか大変ですよね。今回は、こうした作業を Python で自動化してみましょう。

Python には、CSV ファイルの読み書きができる専用の「**csv モジュール**」が最初から備わっています。本書では、このモジュールを用いて、まず「読み込み」と「書き込み」を行う方法を学びます。さらに、その応用として「複数の CSV ファイルを 1 つにまとめる」プログラムを作成してみます。

○CSVファイルを読み込む

「csv モジュール」を使用できるようにするために、プログラムの冒頭で次のようにインポートします。

csv モジュールをインポートする

```
import csv
```

CSV ファイルを読み込むためには、CSV 用のリーダー（ファイルを読み取るためのデータ）を作成します。まず次のように CSV ファイルを open() で開き、その結果を代入した変数 f を用いて、`csv.reader(f)` でリーダー（`reader`）を作成します。リーダーを使い終わったら、開いた CSV ファイルを `f.close()` で必ず閉じます。

CSV 用リーダーの作成

```
f = open(CSVファイルのパス )
reader = csv.reader(f)
f.close()
```

「CSV ファイルを 1 行ずつ読み込む」には、次のように reader をループさせます。for 文の in の後ろに reader を書くと、1 行分のデータを毎回 row に代入してくれます。

▌ CSV ファイルを 1 行ずつ読み込む

```
f = open(CSVファイルのパス)
reader = csv.reader(f)
for row in reader:
    処理
f.close()
```

次のようなサンプルの CSV ファイル「4 月売上 .csv」を実際に読み込んでみます。サンプルファイルの「ch03」フォルダーの中にあります。

▌ 4 月売上 .csv

```
 1  売上データ ,,,,,
 2  ,,,,,
 3  売上日 ,顧客名称 ,商品名 ,単価 ,数量 ,計
 4  2020/4/1,株式会社 鈴木商店 ,商品 C,1200,20,24000
 5  2020/4/8,サン企画 有限会社 ,商品 A,7200,5,36000
 6  2020/4/14,株式会社 鈴木商店 ,商品 A,7200,3,21600
 7  2020/4/17,三和商事 株式会社 ,商品 B,3800,10,38000
 8  2020/4/23,三和商事 株式会社 ,商品 C,1200,50,60000
 9  2020/4/27,サン企画 有限会社 ,商品 A,7200,8,57600
10  2020/4/30,株式会社 鈴木商店 ,商品 B,3800,12,45600
```

（1〜3行目まではヘッダー）

この CSV ファイルを 1 行ずつ読み込み、print() で出力すると、「1 行分のデータ」が「角かっこ」で囲まれて表示されます。つまり、ループのたびに 1 行分のデータが「リスト」で row に代入されているわけです。

▌ csv_read_rows.py

```
 1  import csv
 2
 3  f = open("4月売上.csv")
 4  reader = csv.reader(f)
 5  for row in reader:
 6      print(row)      ← 1 行のデータをまとめて出力
 7  f.close()
```

実行結果

```
['売上データ', '', '', '', '', '']
['', '', '', '', '', '']
['売上日', '顧客名称', '商品名', '単価', '数量', '計']
['2020/4/1', '株式会社 鈴木商店', '商品C', '1200', '20', '24000']
['2020/4/8', 'サン企画 有限会社', '商品A', '7200', '5', '36000']
# 中略
['2020/4/30', '株式会社 鈴木商店', '商品B', '3800', '12', '45600']
```

ここで、Mac や日本語版以外の Windows を使用している場合は、3 行目の open() のかっこの中に encoding="cp932" を指定してください。

Mac や日本語版以外の Windows では 3 行目をこのように変更

```
f = open("4月売上.csv", encoding="cp932")
```

すぐあとで説明しますが、encoding を指定しない場合、open() は使用しているパソコンのデフォルトの文字コードでファイルを開こうとします。今回の CSV ファイルの文字コードは「Shift-JIS」のため、「UTF-8」がデフォルトの Mac などでは正常に読み込めずエラーになります。

ヘッダー行が不要なら読み飛ばす

先ほどの CSV ファイルには、3 行目までタイトルや項目名などの「ヘッダー」が入力されています。このヘッダーが不要な場合は、ループの中で、**ヘッダーの行は読み飛ばし**します。そのためには、「読み込み中の行番号」が必要になりますが、csv モジュールでは、次のように reader.line_num で 1 から始まる行番号を取得できます。

csv_read_rows_line_num.py

```
1  import csv
2
3  f = open("4月売上.csv")
4  reader = csv.reader(f)
5  for row in reader:
6      print(reader.line_num)          行番号を出力
7  f.close()
```

```
1
2
3
4
5
6
7
8
9
10
```

　これを利用して先ほどのコードを改良し、行番号がヘッダー行数(header_num ＝ 3)以下の場合は、continueでループをスキップしましょう。これでCSVファイルのヘッダー行を読み飛ばすことができます。

csv_read_rows_skip_header.py

```
 1  import csv
 2
 3  # ヘッダー行数
 4  header_num = 3
 5
 6  f = open("4月売上.csv")
 7  reader = csv.reader(f)
 8  for row in reader:
 9      if reader.line_num <= header_num:
10          continue
11      print(row)
12  f.close()
```

行番号が3以下の場合は、処理を中断して次のループに入る

いまのループをスキップして次のループへ

```
['2020/4/1', '株式会社 鈴木商店 ', '商品 C', '1200', '20', '24000']
['2020/4/8', 'サン企画 有限会社 ', '商品 A', '7200', '5', '36000']
# 中略
['2020/4/30', '株式会社 鈴木商店 ', '商品 B', '3800', '12', '45600']
```

● 読み込みがエラーになるときは文字コードに注意

サーバーからダウンロードした CSV ファイルや、Mac などほかのコンピュータから入手した CSV ファイルを読み込むと、次のような「UnicodeDecodeError」に遭遇することがあります。

```
Python 3.8.2 Shell                          —   □   ×
File  Edit  Shell  Debug  Options  Window  Help
Type "help", "copyright", "credits" or "license(
)" for more information.
>>>
= RESTART: C:¥Users¥Ichiro¥Documents¥ExcelPython
¥ch03¥csv_read_rows.py
Traceback (most recent call last):
  File "C:¥Users¥Ichiro¥Documents¥ExcelPython¥ch
03¥csv_read_rows.py", line 5, in <module>
    for row in reader:
UnicodeDecodeError: 'cp932' codec can't decode b
yte 0xef in position 0: illegal multibyte sequen
ce
>>> |
                                        Ln: 9  Col: 4
```

図　UnicodeDecodeErrorの表示例

コンピュータ上では、文字を表示するために、1 つひとつの文字に固有の識別番号を割り当てて管理しています。この識別番号のことを「文字コード」といい、Shift-JIS、EUC、Unicode などいくつかの種類があります。

ファイルに文字を書き込むときやネットワークでデータをやり取りするときは、文字はコンピュータが扱いやすい状態に**符号化 (Encode)** されます。そして、符号化された文字を人間が読んで分かるようにするには、それを**復号化 (Decode)** する必要があります。

Python はテキストファイルを読み込むときに、**デフォルトでは OS 標準の文字コードを用います**が、それで復号化できないと、この「Unicode DecodeError」を発生させます。このエラーを回避するには、「ファイルの書き込みに用いられているのと同じ文字コード」で読み込む必要があります。

今回のエラーでは「`'cp932' codec can't decode`」と表示されています。「cp932」とは「日本語版 Windows 標準の文字コード」であり、「Shift-JIS」という文字コードを拡張したものです (そのため、cp932 のことを Shift-JIS と呼ぶこともあります)。このエラーは「cp932 では復号化できない」と言っているので、ほかの文字コードで読み込む必要があります。

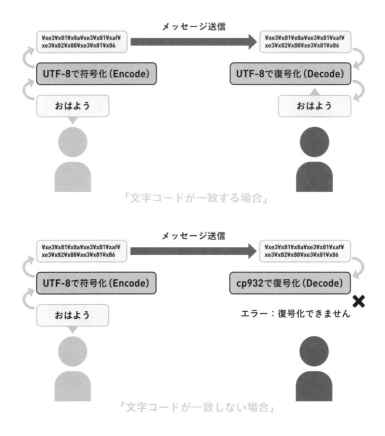

図　符号化と復号化の仕組み

cp932とUTF-8だけ覚えておけばOK！

　「cp932」以外によく用いられる文字コードといえば「UTF-8」が挙げられます。ほとんどのサーバーやMacでは、こちらが標準で用いられています。文字コードには、ほかにもさまざまな種類がありますが、一般的な国内のオフィスワークで遭遇する文字コードは、**「cp932」と「UTF-8」の2種類だけ**と考えて問題ありません。

　つまり、標準的な日本語版Windowsパソコンで「UnicodeDecodeError」が表示されるのは、大抵「UTF-8」で書き込まれたファイルを開こうとしている場合です。そのときは、ファイルを「UTF-8」で読み込めばエラーは回避できます。

文字コードを指定してファイルを開くには、次のように open() のかっこの中で encoding= を用います。

▌文字コードを指定してファイルを開く

```
f = open(CSVファイルのパス , encoding=文字コードの名前 )
処理
f.close()
```

実際に文字コードを指定して、CSV ファイルを読み込んでみましょう。サンプルファイルの「4月売上_UTF8.csv」は、「UTF-8」で書き込まれているので、そのまま読み込もうとするとエラーになりますが、次のように文字コードを utf-8 に指定すれば、ちゃんと読み込むことができます。

▌csv_read_rows_encoding.py

```
1  import csv
2
3  f = open("4月売上_UTF8.csv", encoding="utf-8")
4  reader = csv.reader(f)
5  for row in reader:
6      print(row)
7  f.close()
```

文字コードを指定

CSVファイルにデータを書き込んでみよう

◉ CSVファイルを書き込む

CSVファイルにデータを書き込むためには、次のようにCSVファイルをopen()で開いて、CSV用のライター（ファイルを書き込むためのデータ）を作成します。open()のかっこの中には、「**書き込みモード**」でファイルを開くためのmode="w"（writeのwですね）と、二重に改行しないためのnewline=""を必ず指定します。

リーダーのときと同じように、ライターを使い終わったら、最後にf.close()でファイルを必ず閉じます。

▌ **CSV用ライターの作成**

```
f = open(CSVファイルのパス , mode="w", newline="")
writer = csv.writer(f)
f.close()
```

データを書き込むには、次のように`writer.writerow()`を実行します。このかっこ内に**1行分のデータをセットしたリストを入力します**。すると、リストの各要素がCSV形式（カンマ区切り）で書き込まれます。なお、`writerow()`は1行書き込むごとに改行してくれますが、open()も書き込みモードでは都度改行します。それでは改行が二重になってしまうため、先ほどnewline=""によりopen()の改行を無効にしました。

▌ **CSVファイルにデータを書き込む処理**

```
data_list = 書き込むデータ
f = open(CSVファイルのパス , mode="w", newline="")
writer = csv.writer(f)
for data in data_list:
    writer.writerow(data)
f.close()
```

data_listは「1行分のデータをセットしたリスト」を要素として持つリスト

1行分のデータをセットしたリスト

　変数 data_list には、「**1 行分のデータをセットしたリスト**」を要素として持つリストを代入します。少し分かりづらいので、実際にデータを書き込んでみましょう。

　次のコードのように、data_list は、リストの中にリストが含まれる構造になっています（3 ～ 10 行目）。内側のリストが、CSV ファイルの 1 行分のデータに相当するわけです。Python では、かっこの中で「改行」しても意味が変わらないので、1 行分ごとに改行して見やすくしています。このとき、各要素の末尾に「,」を入れ忘れないように注意しましょう。

　今回は、データの要素は数値も "3800" のようにすべて文字列にしていますが、3800 のように数値をそのまま用いても大丈夫です。空白部分のデータには、空文字（空白、長さゼロの文字列のこと）の "" を入力してください。

csv_write_rows.py

```
1  import csv
2
3  data_list = [
4  ["売上データ", "", "", "", "", ""],
5  ["", "", "", "", "", ""],
6  ["売上日", "顧客名称", "商品名", "単価", "数量", "計"],
7  ["2020/5/7", "サン企画 有限会社", "商品 B", "3800", "10",
   "38000"],
8  ["2020/5/8", "三和商事 株式会社", "商品 A", "7200", "7",
   "50400"],
9  ["2020/5/11", "株式会社 鈴木商店", "商品 C", "1200", "100",
   "120000"]
10 ]
11
12 f = open("5月売上.csv", mode="w", newline="")
13 writer = csv.writer(f)
14 for data in data_list:
15     writer.writerow(data)
16 f.close()
```

　実行すると、プログラムと同じフォルダーに「5 月売上 .csv」というファイルが作成されます。メモ帳で開くと、次ページの図のようにデータが書き込まれていることが確認できます。なお、同名のファイルがある場合には、上書き保存されます。

図　CSVファイルの書き込み結果

◎ CSVファイルにデータを追記する

　この CSV ファイルの末尾にデータを追加したい場合には、次のように「mode="w"」を「mode="a"」（こちらは append の a です）に変更して、**「追記モード」**でファイルを開きます。

`csv_append_rows.py`

```
1  import csv
2
3  add_list = [
4  ["2020/5/15", "三和商事　株式会社 ", "商品 B", "3800", "10",
   "38000"],
5  ["2020/5/20", "三和商事　株式会社 ", "商品 B", "3800", "30",
   "114000"],
6  ["2020/5/26", "サン企画　有限会社 ", "商品 A", "7200", "5",
   "36000"],
7  ["2020/5/29", "三和商事　株式会社 ", "商品 B", "3800", "15",
   "57000"]
8  ]
9
10 f = open("5月売上.csv", mode="a", newline="")
11 writer = csv.writer(f)
12 for data in add_list:
13     writer.writerow(data)
14 f.close()
```

mode="a"に変更

　実行すると、末尾に 4 行分のデータが追加されていることを確認できます。なお、既存のファイルがない場合には、追加分のデータだけで新規ファ

イルが作成されます。

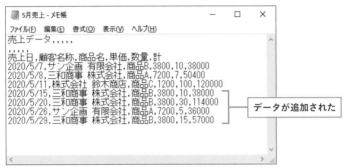

図　CSVファイルの末尾にデータを追加した結果

● 複数のCSVファイルを1つにつなぎ合わせる

　CSVファイルの読み込みと書き込みを応用して、「複数のCSVファイルを1つにつなぎ合わせる作業」をPythonで自動化してみましょう。今回は売上データが月ごとにCSVファイルに分けて保存されている場合を想定し、それらのファイルを1つにつなぎ合わせます。

　各月の売上データのCSVファイルは、次のように「売上月別」というサブフォルダーに入っているとします。例では、3カ月分しかありませんが、このフォルダーに入っているCSVファイルはいくつでも読み込めるようにします。

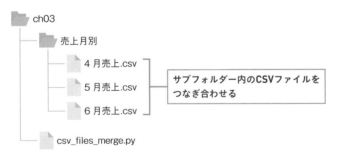

図　プログラムとCSVファイルのフォルダー構成

　フォルダー内のファイル検索には、p.119の「複数のブックをシート名ごとにまとめる」でも使った、pathlibモジュールの「Path」を利用します。今回はCSVファイルが対象なので、glob()のかっこの中には検索パターンとして「*.csv」を指定して、拡張子が「.csv」のファイルを検索します。

1つずつCSVファイルを読み込み、1行ずつリストのrowsに追加して
いきます。ただし、2つ目のファイルからはヘッダーは不要なので、rows
に追加しません。skip_numという変数を作成し、行番号(reader.
line_num)がこの値以下の場合は追加しないようにします。skip_num
は最初のループでは「0」なので、1行もスキップされませんが、次のループ
からは「3」に書き換えられるので、先頭の3行は読み飛ばされます。

```
 1  import csv
 2  from pathlib import Path
 3
 4  # 「売上月別」フォルダー内CSVファイルの読み込み
 5  rows = []
 6  skip_num = 0          ●──── 最初のループはヘッダーも読み込む
 7  for file in Path("売上月別").glob("*.csv"):
 8      f = open(file)
 9      reader = csv.reader(f)
10      for row in reader:
11          if reader.line_num <= skip_num:   ●── 読み飛ばす行
12              continue                           かを判定
13          rows.append(row)
14      f.close()
15      skip_num = 3      ●──── 2周目のループからはヘッダーを読み飛ばす
16
17  # 書き込み
18  f = open("第1四半期売上.csv", mode="w", newline="")
19  writer = csv.writer(f)
20  for row in rows:
21      writer.writerow(row)
22  f.close()
```

　リストのrowsに1行分ずつ追加したデータを、最後に「第1四半期売
上.csv」に書き込んで保存します。18行目では読み込みのときと同じ変数
名のfを使用していますが、変数fの中身は、open()の結果を代入する
たびに上書きされるので問題ありません。

　実行すると、プログラムファイルと同じフォルダーに「第1四半期売
上.csv」が作成されます。メモ帳で開くと、「売上月別」フォルダー内の各
CSVファイルの中身が1つにまとまっていることを確認できます。

図 CSVファイルを1つにまとめた結果

　なお、このプログラムは `skip_num` の初期値を6行目で「`0`」ではなく「`2`」にしておけば、1〜3行目にあるヘッダーのうち最初の2行分を除いて3行目の項目名だけを書き込むようになります。

3-3 Excelブックと相互に変換する

CSVにはシート1つ分のデータしか保存できない

CSVファイルとExcelブックは、どちらも「表のデータ」を保存することができますが、CSVファイルには「シート」という概念がありません。つまり、CSVファイルには、「シート1つ分のデータ」しか保存できません。

そのため、CSVファイルとExcelブックの間の変換は、「シートにまとめる」または「シートをばらす」に置き換えることもできます。ここでは、そのような処理をPythonでプログラミングする方法を紹介します。

なお、CSVファイルとExcelブックの間の変換は、Excelで直接操作することもできます。Excelの[名前を付けて保存]ダイアログボックスを表示し、[ファイルの種類]から[Excelブック]か[CSV（コンマ区切り）]を選択して保存するのが、分かりやすく簡単な方法です。

図　Excelからでもxlsx→CSV、CSV→xlsxの変換はおこなえる

しかし、一度に多くのファイルを処理する場合は、Pythonでプログラミングしたほうが効率的です。また、プログラミングであれば、必要な列だけを抽出するといった処理も同時におこなえます。

◉CSVファイルをExcelブックに変換する

「売上月別」フォルダーにある3カ月分の売上データ(1カ月分が1つの CSVファイル)を、1つのExcelブックに変換します。CSVファイルごとに、シートを追加し、「シート名」にはCSVファイル名を用います。また、データは次のように「1列目(売上日)」「2列目(顧客名称)」「6列目(計)」の3項目をCSVファイルから抽出して転記することとします。

図 「4月売上.csv」をExcelで開いた画面。このうち抽出する項目は、「1列目(売上日)」「2列目(顧客名称)」「6列目(計)」の3つ

　ではプログラムを書いていきましょう。まず「新規ブック」を作成し(7行目)、CSVファイルごとに「新規のシート」を追加します(13行目)。そこに ws.append() で行ごとにデータを書き込みます(29行目)。「シート名」には、file.stem により「拡張子を除くファイル名」を取得して用います。

　ws.append() のかっこの中には、1行分のデータを「リスト」で追加します。1列目、2列目、6列目のデータは、row[0]、row[1]、row[5] で取得できますが、「日付」と「数値」については、それぞれのデータ型に変換する必要があります。次のページでその変換方法を説明します。

文字列型のデータを日付データに変換する

　今回の CSV ファイルでは、日付は「文字列」で入力されているので、Excel のセルに「日付」として入力するには、「datetime 型」に変換する必要があります。**文字列の日付を datetime 型に変換する**には、次のように、datetime.datetime.strptime() を用います。かっこの中には、「文字列の日付」と「書式」を指定します。書式は、年を「%Y」、月を「%m」、日を「%d」で表してパターンを作成します。例えば、「2020/04/01」のように年月日がスラッシュ (/) で区切られている場合は「%Y/%m/%d」を書式に指定します。なお、「2020/4/1」のように 1 桁の月日の前にゼロがなくても正しく変換してくれます。

▌文字列の日付を datetime 型に変換する

```
import datetime
# 書式が "2020/04/01"のような文字列の場合
dt = datetime.datetime.strptime(文字列の日付 , "%Y/%m/%d")
# 書式が "2020-04-01"のような文字列の場合
dt = datetime.datetime.strptime(文字列の日付 , "%Y-%m-%d")
```

　数値については、今回は金額を「整数」で表しているので、int() で整数型に変換します（27 行目）。ここで整数型に変換しないと、文字列型でデータが書き込まれます。

　すべての CSV ファイルのデータを読み取り、各シートに転記。そのあとは、ブック作成時に自動追加されるシートを取り除いて、ブックを保存します。

▌csv_files_to_book.py

```
 1  import csv
 2  import openpyxl
 3  from pathlib import Path
 4  import datetime
 5
 6  # 新規ブック作成
 7  wb = openpyxl.Workbook()
 8
 9  #「売上月別」フォルダー内 CSVファイルの読み込み
10  header_num = 3
11  for file in Path("売上月別 ").glob("*.csv"):
12      # 新規シートを追加
```

```
13      ws = wb.create_sheet(file.stem)
14      # CSVファイルを開く
15      f = open(file)
16      reader = csv.reader(f)
17      # CSVファイルを1行ずつ読み込む
18      for row in reader:
19          if reader.line_num <= header_num:
20              # ヘッダー行はそのまま追加
21              ws.append([row[0], row[1], row[5]])
22              continue
23
24          # データ行は適宜データ型を変換
25          dt = datetime.datetime.strptime(row[0], "%Y/%m/%d")
26          customer = row[1]
27          sales = int(row[5])
28          # シートにデータ行を追加
29          ws.append([dt, customer, sales])
30          # 日付のセルは書式を指定する
31          ws.cell(reader.line_num, 1).number_format = "yyyy/m/d"
32      f.close()
33
34  # ブック作成時の既存シートを取り除く
35  ws_first = wb.worksheets[0]
36  wb.remove(ws_first)
37
38  # ブック保存
39  wb.save("第1四半期売上.xlsx")
```

実行すると「第1四半期売上.xlsx」というExcelブックが作成されます。
Excelで開くと、次のようにCSVファイルのデータが、同名のシートごと
に入力されているのが確認できます。

図　CSVファイルのデータが各シートに入力されている

••• column •••

文字化けやエラーになる場合は文字コードをチェック

基幹システムや Web から入手した CSV ファイルを変換した際に「文字化け」したり、UnicodeDecodeError が発生したりする場合は、CSV ファイルの文字コードが「UTF-8」である可能性があります。「open(file, encoding="utf-8")」のように文字コードを指定してファイルを開いてみてください。一方、Mac で Windows のファイルが読み込めないときは、ファイルの文字コードが「cp932」になっている可能性があるので「open(file, encoding="cp932")」を試してみてください。

◎Excelブックを CSVファイルに変換する

今度は、Excel ブックを CSV ファイルに変換する方法を見ていきましょう。Excel ブックの複数のシートを、1 つの CSV ファイルに格納することはできないので、シートごとにばらして保存します。

サンプルの Excel ブック「売上データ.xlsx」には、3 カ月分の売上データが「4 月売上」「5 月売上」「6 月売上」の 3 つのシートに分けて入力されています。これらのシートを CSV ファイルに変換します。つまり、3 つの CSV ファイルに分割して保存するわけですね。

pathlibモジュールでフォルダーを作る

Excel ブックから変換した CSV ファイルは、新たに「売上データ」というフォルダーを作成して保存します。**プログラムでフォルダーを新規作成するには**、p.86 と同じく次のように pathlib モジュールの「Path」で mkdir() を実行します。このかっこの中に、「exist_ok=True」を指定しておくと、作成しようとするフォルダーがすでに存在している場合でもエラーになりません（この命令自体がスキップされます）。

▌フォルダーの新規作成

```
from pathlib import Path
Path(作成するフォルダー名).mkdir(exist_ok=True)
```

146

　CSV ファイルに変換するには、Excel シートの「1 行分のセルの値」を変数 values のリストに追加してから、それを CSV ファイルに書き込む処理を全行で繰り返します。

日付の書式を設定する

　日付のセルから .value で値を取得すると、p.91 のセルの値の読み取りで学習したとおり、「datetime 型」のデータが得られます。これを、そのまま CSV ファイルに書き込むと「2020-04-01 00:00:00」のような書式になってしまいます。そこで strftime() を使い、「**datetime 型のデータを書式を指定した文字列に変換**」してから書き込みます。

▌書式を指定して datetime 型のデータを文字列に変換する

```
import datetime
dt = datetime型のデータ
# "2020/04/01"のような書式で文字列にする
ds = dt.strftime("%Y/%m/%d")
# "2020/4/1"のような書式で文字列にする
ds = dt.strftime("%Y/%#m/%#d")
# "2020-04-01"のような書式で文字列にする
ds = dt.strftime("%Y-%m-%d")
```

　%m と %d は、1 桁の月と日を「04」や「01」のように**ゼロ埋め**で 2 桁に揃えます。1 桁のまま表示するなら、%#m と %#d を指定します。(Mac の場合は、%-m と %-d)

```
••• column •••
```

strftimeとstrptimeの見分け方

　「strftime」は、文字列から datetime 型に変換するための「strptime」と 1 文字だけしか違いませんが、次のように理解しておくと覚えやすいですよ。

　・strftime：datetime型を書式 (**f**ormat) に従って文字列に変換する
　・strptime：文字列を構文解析 (**p**arse) してdatetime型に変換する

　この strftime() で文字列に変換する処理は、セルの値が「日付」の場合だけおこないます。文字列型や整数型のデータで実行しようとすると、

strftime()という命令自体を持っていないのでエラーになってしまいます。

　エラーを起こさないようにするには、「セルの値のデータ型がdatetime型かどうか」を見分ける必要があります。値のデータ型をチェックするにはisinstance()を用います。次の対話モードの例のように、isinstance(値, データ型)を実行すれば、値のデータ型と指定したデータ型が一致する場合にTrueを返します。

▌ isinstance()で値のデータ型を確認する（IDLEの対話モードでの実行例）

```
# isinstance(値, データ型)
>>> isinstance(100, int)
True
>>> isinstance(100, str)
False
>>> isinstance(["a","b"], list)
True
```

　これにより、セルの値がdatetime型かどうかは、isinstance(セルの値, datetime.datetime)でチェックできます。datetime型は、datetimeモジュールに含まれるデータ型なので、「datetime.datetime」と指定します。

プログラムの完成形

　以上を踏まえるとプログラムは次のようになります。

　最初にExcelブックをload_workbook()で読み込むとき、かっこの中には「data_only=True」を指定します。これにより、数式が入力されているセルからは、計算結果を取得するようにしておきます。

▌ book_to_csv_files.py

```
1  import csv
2  import openpyxl
3  from pathlib import Path
4  import datetime
5
6  # 元のブックを開く
7  wb = openpyxl.load_workbook("売上データ.xlsx", data_only=True)
```

```
8
9   # CSVファイル保存先のフォルダー
10  Path("売上データ").mkdir(exist_ok=True)
11
12  # シートを1つずつCSVファイルに変換
13  for sheet in wb.worksheets:
14      # CSVファイルのパスを作成
15      file = "売上データ/" + sheet.title + ".csv"
16      # 書き込みモードでCSVファイルを開く
17      f = open(file, mode="w", newline="")
18      writer = csv.writer(f)
19      # シートのデータをCSVファイルに書き込む
20      for row in sheet:
21          # 1行分のデータを入れるリスト
22          values = []
23          for cell in row:
24              if isinstance(cell.value, datetime.datetime):
25                  # 日付のデータは書式を指定して文字列にする
26                  values.append(cell.value.
    strftime("%Y/%m/%d"))
27              else:
28                  values.append(cell.value)
29          writer.writerow(values)
30      f.close()
```

> セルの値がdatetime型か判定

3

Python で CSV ファイルを操作する

　プログラムを実行すると次のように「売上データ」フォルダーが作成され、その中に月ごとの3つの CSV ファイルが保存されるのを確認できます。

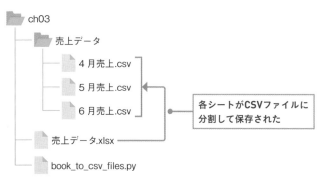

```
📁 ch03
├── 📁 売上データ
│     ├── 📄 4月売上.csv
│     ├── 📄 5月売上.csv
│     └── 📄 6月売上.csv   ← 各シートがCSVファイルに
│                              分割して保存された
├── 📄 売上データ.xlsx
└── 📄 book_to_csv_files.py
```

図　プログラム実行後のフォルダー構成

CSVファイルの文字コードを確認する方法

CSVファイルの文字コードが「cp932 (Shift-JIS)」と「UTF-8」のどちらなのか知りたい場合は、「メモ帳」で開いてみてください。cp932の場合は右下に「ANSI」と表示されます。UTF-8の場合には、「UTF-8」と表示されます。

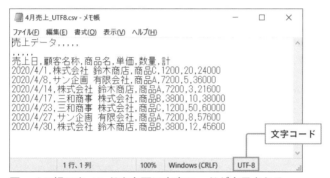

図　メモ帳のウィンドウ右下に文字コードが表示される

しかし、May 2019 Update（バージョン1903）より前のWindows 10に搭載されているメモ帳では、右下に文字コードが表示されません。その場合は、メモ帳を起動して、[ファイル]-[開く]でCSVファイルを選択してみましょう。次のように「文字コード」の部分のプルダウンメニューが、そのファイルの文字コードに切り替わるので確認できます。

図　メモ帳の[開く]ダイアログボックスでも文字コードを確認できる

第 **4** 章

Excelファイルの
転記・集計を
Pythonでおこなう

Excelの作業を効率化し、
業務の生産性を高めるには、
「転記」と「集計」をいかに自動化するかが
カギを握っています。
本章では、Pythonで自動化する方法と
そのメリットについて説明します。

転記・集計を実現する Excel の三大関数とは

◉ ビジネスで重要な3つの関数

Excel には約480個の関数がありますが、その中でもビジネスの現場で特に重要といわれているのが「VLOOKUP」、「COUNTIFS (COUNTIF)」、「SUMIFS (SUMIF)」の3つの関数です。Python で同様の処理をプログラミングする前に、まずこの3つの関数がなぜ重要なのかを確認しましょう。

◉ VLOOKUPがなぜ最重要関数なのか

VLOOKUP 関数は、Excel の関数の中でもビジネスでもっとも重要な関数といわれています。その理由は、ある表からデータを探して、別の表にコピペするという「日常よくある非常に面倒な操作」を自動化できるからです。

例えば、「顧客を管理している表」から「売上データの表」に、「顧客名称」を転記したい場合を考えます。それには、右ページの図のように顧客を管理している表から「顧客ID」が一致する行を探して、同じ行にある「顧客名称」を売上データの表に転記します。

ちなみに、顧客や商品のような基本情報を管理する表を「**マスタ**」ということから、今後はこの顧客を管理する表を「顧客マスタ」と呼ぶことにします。

VLOOKUP関数の仕事はデータベースに似ている

VLOOKUP 関数を使えば、Excel が顧客情報の転記をしてくれます。売上データの表には「顧客ID」だけ入力すれば、自動で「顧客名称」が転記されるようになるわけです。さらに、顧客マスタの顧客名称を変更すれば、売上データの表にも自動的に反映されます。つまり、VLOOKUP 関数は、**2つの表を顧客IDで紐付けている**のです。

こうした複数の表を紐付けて連携させる方法は、いわゆる「データベースシステム」と同じ仕組みです。データベースシステムは、あまり目立つ存在ではありませんが、多くの人が間接的に利用しています。例えば、通販サイ

トにログインして購入履歴を見るときには、通販会社のデータベースから
データを取り出して表示しています。

　一般的なデータベースシステムでは、複数の表を連携させて運用してい
ます。その連携に、先ほどの「顧客ID」のようにデータごとに付けられた
IDが用いられます。表どうしがIDで紐付けあうことで、連携が可能になり
ます。

　このように、VLOOKUP関数は単に面倒なコピペを自動化してくれるだ
けでなく、データベースシステムのように複数の表を連携してくれるという
見方もできます。それゆえ、VLOOKUP関数は、Excelの中でも別格な存在
なのです。

顧客管理表（顧客マスタ）

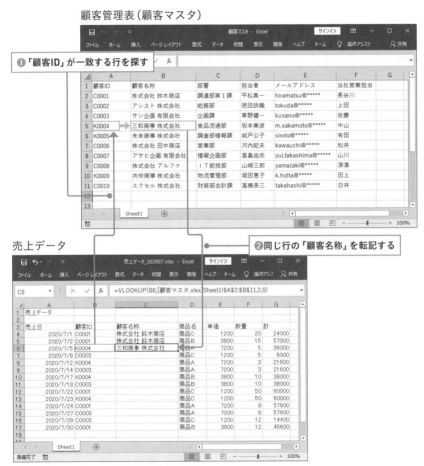

図　顧客マスタから顧客名称を転記する

○COUNTIFSやSUMIFSがなぜ必要になるのか

数値が入力されたセルの「個数」や「合計」を知りたいときは「COUNT関数」や「SUM関数」を使いますが、これらの機能は指定した範囲のセルを単純に集計するだけです。

しかし、日常の業務では、「ある項目ごとに集計すること」がよくあります。例えば、顧客や商品ごとに売上の件数や総額を集計する場合です。その結果を比較することで、どの顧客・どの商品の売上が多いのかという「**分析**」が可能になります。

図　SUMIFS関数で、商品ごとの売上合計額を求める

図　COUNTIFS関数で、商品ごとの売上件数を求める

　ビジネスにおいて、分析は課題発見に不可欠です。そのためにまず必要となるのが、**条件ごとにデータを「集計」する**作業です。それを Excel で可能にするのが「COUNTIFS 関数」や「SUMIFS 関数」です。だから、ビジネスで必須の関数といえるのです。

••• **column** •••

データベースシステムとは

　実際に企業などで運用されているデータベースは、「データベースシステム」と呼ばれるコンピュータシステムで稼働しています。有名なものに「Oracle」や「MySQL」があります。

　高速でデータを検索できるように、データベースは複雑な構造になっていて、Excel のように簡単にファイルを開いて確認や編集はできません。すべて「SQL」と呼ばれる命令文で、データの抽出、挿入、更新、削除をおこないます。また、複数のユーザーが同時に利用しても、データの整合性を保持できるようになっています。

　このように本来のデータベースシステムは、データ管理の面で Excel よりもかなり高度な機能を備えています。ですが、Excel でも本節で説明した「VLOOKUP」や「COUNTIFS」は、SQL で操作するのと内容的には同様の処理ができます。

4

Excelファイルの転記・集計をPythonでおこなう

Excelのマスタを取り込む

◎ 顧客マスタをPythonに取り込む

　Pythonでマスタからデータを検索するには、最初に「マスタの全データ」をプログラムで取り込んでおきます。データは、そこから条件を指定して検索して取り出します。例として、サンプルの「ch04」フォルダー内にある「顧客マスタ.xlsx」をプログラムで取り込んでみましょう。

	A	B	C	D	E	F	G
1	顧客ID	顧客名称	部署	担当者	メールアドレス	当社営業担当	
2	C0001	株式会社 鈴木商店	調達部第１課	平松真一	hiramatsu@*****	長谷川	
3	C0002	アシスト 株式会社	総務部	徳田詩織	tokuda@*****	上田	
4	C0003	サン企画 有限会社	企画課	草野健一	kusano@*****	佐藤	
5	K0004	三和商事 株式会社	食品流通部	坂本美波	m.sakamoto@*****	中山	
6	K0005	未来商事 株式会社	調査部情報課	城戸公子	siroto@*****	有田	
7	C0006	株式会社 田中商店	営業部	河内紀夫	kawauchi@*****	松井	
8	C0007	アサヒ企画 有限会社	情報企画部	髙島由衣	yui.takashima@*****	山川	
9	C0008	株式会社 アルファ	ＩＴ総括部	山崎三郎	yamazaki@*****	深澤	
10	K0009	共栄商事 株式会社	物流管理部	堀田恵子	k.hotta@*****	田上	
11	C0010	エクセル 株式会社	財務部会計課	髙橋泰三	takahashi@*****	白井	
12							
13							

図　顧客マスタの内容

　p.100の「Excelファイルを1行ずつ読み込む」で説明した方法で、Excelシートを1行ずつ読み込み、customer_listという空リストに追加していきます。「顧客マスタ.xlsx」は、ヘッダーは1行だけで、データは2行目から始まっているのでiter_rows()のかっこの中には「min_row=2」を指定します。

　顧客マスタでは、1行が1件分の顧客データを表します。1行分のセルの値——つまり1件分の顧客データ——をリストvalue_listに格納したら、このリストをcustomer_listに追加します。この作業を全行分繰り返します。

　末尾の空行を読み込まないようにするために、1列目の「顧客ID」のセルの値（row[0].value）がNoneの場合は、breakで読み込みのループを終了します。

xl_read_master.py

```
 1  import openpyxl
 2
 3  wb = openpyxl.load_workbook("顧客マスタ.xlsx")
 4  ws = wb["Sheet1"]
 5
 6  # 顧客マスタの全データリスト
 7  customer_list = []
 8
 9  # 顧客マスタの全行を 1行ずつ読み込む
10  for row in ws.iter_rows(min_row=2):
11      # 顧客 IDのセルが空になったら終了
12      if row[0].value is None:
13          break
14      # 1行分のセルの値
15      value_list = []
16      for c in row:
17          value_list.append(c.value)
18      # 1件分の顧客データを追加
19      customer_list.append(value_list)
20
21  # 確認
22  for customer in customer_list:
23      print(customer)
```

　IDLE の Editor ウィンドウにコードを入力し保存したら、F5 キーを押して実行してみましょう。プログラムは、いつもの「ExcelPython」フォルダーの中に「ch04」フォルダーを作成して、そこに保存します。同じフォルダーに「顧客マスタ.xlsx」を入れておくのを忘れないでください。

実行結果

```
['C0001', '株式会社 鈴木商店 ', '調達部第１課 ', '平松真一 ',
'hiramatsu@*****', '長谷川 ']
['C0002', 'アシスト 株式会社 ', '総務部 ', '徳田詩織 ', 'tokuda@*****',
'上田 ']
...途中略
['C0010', 'エクセル 株式会社 ', '財務部会計課 ', '高橋泰三 ',
'takahashi@*****', '白井 ']
```

　customer_list は、「リストの中にリスト」を持つ二重構造になって

います。そのため、for 文で customer_list の要素を 1 つずつ取り出して print で出力すると、1 件分の顧客データがリストになって表示されます (22 〜 23 行目)。これで、customer_list に顧客マスタをすべて取り込めたことが確認できました。

◎ マークのある顧客を読み飛ばす方法

何らかの理由で、処理から除外したい顧客には、次のように「除外」列 (G 列) にマークを入力しておくこととします。マークは「*」や「#」など何でもかまいません。

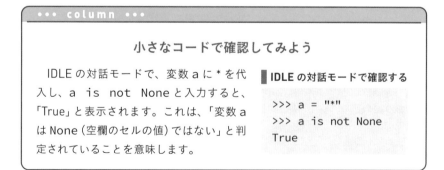

図 「顧客マスタ_除外あり.xlsx」の内容

読み込み時にマークを付けたデータを除外するには、「除外」列のセルが「空欄でない」場合は、continue で読み込みをスキップするようにします。セルの値が「空欄かどうか」は「is None」で判定しましたが、「空欄でないかどうか」は「is not None」のように「not」を加えます。

<div class="column">

••• column •••

小さなコードで確認してみよう

IDLE の対話モードで、変数 a に * を代入し、a is not None と入力すると、「True」と表示されます。これは、「変数 a は None (空欄のセルの値) ではない」と判定されていることを意味します。

IDLE の対話モードで確認する

```
>>> a = "*"
>>> a is not None
True
```

</div>

次のコードのように、「除外」列の値 (row[6].value) が「空欄でない」、つまり「マークが入力されている」場合は、continue でそれ以降のコード

158

を中断して、for ループの先頭に戻ります。break はそこでループを「終了」しますが、continue はそれ以降を中断してループは「続行」します。この 2 つの違いに気を付けてください。

xl_read_master_exclude.py

```python
 1  import openpyxl
 2
 3  wb = openpyxl.load_workbook("顧客マスタ_除外あり.xlsx")
 4  ws = wb["Sheet1"]
 5
 6  # 顧客マスタの全データリスト
 7  customer_list = []
 8
 9  for row in ws.iter_rows(min_row=2):
10      if row[0].value is None:
11          break                    ← ループを終了
12      # コード追加:
13      # 除外の列に何か入力されている場合は読み飛ばす
14      if row[6].value is not None:
15          continue                 ← ループの先頭に
                                       戻って続行
16      value_list = []
17      for c in row:                ← マークのない行だけで
                                       実行される
18          value_list.append(c.value)
19      customer_list.append(value_list)
20
21  # 確認
22  for customer in customer_list:
23      print(customer)
```

実行結果

```
['C0001', '株式会社 鈴木商店 ', '調達部第１課 ', '平松真一 ',
'hiramatsu@*****', '長谷川 ', None]
['C0003', 'サン企画 有限会社 ', '企画課 ', '草野健一 ', 'kusano@*****',
'佐藤 ', None]
...途中略
['K0009', '共栄商事 株式会社 ', '物流管理部 ', '堀田恵子 ',
'k.hotta@*****', '田上 ', None]
```

今回のサンプルでは、ID が「C0002」と「C0010」の顧客に除外マーク (*) を入力したので、この 2 つが表示から除外されているのを確認できます。

Excelのマスタから
データを検索する

○VLOOKUP関数の「IDで検索」をイメージする

前節では、Excel の顧客マスタからデータを取り込みました。今度は、取り込んだ顧客マスタの中から、ID が一致する顧客データを取り出します。

イメージしやすいように、Excel の「VLOOKUP 関数」でまずは考えてみましょう。VLOOKUP 関数を使う場合は、次のように引数を指定すると、顧客マスタから顧客 ID で顧客データを取り出せます。

▌VLOOKUP 関数に指定する引数

=VLOOKUP(顧客 IDのセル , 顧客マスタのセル範囲 , 取り出すデータの列番号 , 0)

例えば、顧客 ID が「K0004」の顧客名称と当社営業担当を取り出すには、引数をそれぞれ以下のように指定します。

図　VLOOKUP関数で顧客マスタからデータを取り出す

・1つ目の引数：顧客IDが入力されているセル（A2）を指定します。
・2つ目の引数：顧客マスタのセル範囲を指定。今回は顧客マスタは、別ブック（顧客マスタ.xlsx）にあるので、[顧客マスタ.xlsx]Sheet1!$A$2:$F$11のように指定します。

- 3つ目の引数：取り出すデータの列番号を入力します。ここでは「顧客名称」には2番、「当社営業担当」には6番を指定しています。
- 4つ目の引数：「0(またはFALSE)」にして、顧客IDに「完全一致」するデータだけを検索します。

◉顧客データをIDで検索する

同じ作業をPythonでプログラミングしてみましょう。「顧客マスタ.xlsx」をリストのcustomer_listに取り込むまでは、前節と同じです。

次に、customer_listの中の顧客データを1件ずつループして、先頭の要素(インデックス0)に入力されている顧客IDと、取り出したい顧客ID(K0004)を比較し、IDが一致する顧客を探します。見つかり次第、その顧客データをtargetに代入して、print()で出力します。探す顧客は1件だけなので、出力後はbreakでループを終了します。

xl_search_customer.py

```
1  import openpyxl
2
3  wb = openpyxl.load_workbook("顧客マスタ.xlsx")
4  ws = wb["Sheet1"]
5
6  # 顧客マスタの全データリスト
7  customer_list = []
8
9  for row in ws.iter_rows(min_row=2):
10     if row[0].value is None:
11         break
12     value_list = []
13     for c in row:
14         value_list.append(c.value)
15     customer_list.append(value_list)
16
17  # 検索する顧客 ID
18  customer_id = "K0004"
19
20  # 顧客の検索
21  for customer in customer_list:
22     # 検索条件(顧客 IDの一致)
23     if customer[0] == customer_id:
```

4

Excelファイルの転記・集計をPythonでおこなう

161

```
24        target = customer
25        # 確認
26        print(target)
27        break ●────────[見つかり次第終了]
```

実行結果

```
['K0004', '三和商事　株式会社', '食品流通部', '坂本美波',
'm.sakamoto@*****', '中山']
```

　プログラムを実行すると、顧客 ID「K0004」の顧客データが検索できていることを確認できます。このように 1 件分の顧客データをリストで取得できるので、そこから必要な情報を取得できます。例えば、「顧客名称」は target[1]、「当社営業担当」は target[5] のようにインデックスを指定すれば、任意の値を取り出せます。

••• column •••

VLOOKUPの仲間たち

　「VLOOKUP 関数」は表を「縦方向(Vertical)」に検索しますが、「横方向(Horizontal)」に検索する「HLOOKUP 関数」も Excel で利用できます。VLOOKUP 関数は、該当するデータの「行」を検索して、その行の中から「列番号」を指定して値を取り出します。一方、HLOOKUP 関数は、該当するデータの「列」を検索して、その列の中から「行番号」を指定して値を取り出します。

　さらに、2020 年 1 月には、両方の機能を兼ね備えた「XLOOKUP 関数」が、Microsoft 365 (旧 Office 365) ユーザー向けに加わりました。XLOOKUP 関数を使えば、一度に複数の列の値を取り出せるので、VLOOKUP 関数のように列番号を 1 つずつ指定しないで済みます(詳細は本書では割愛します。「XLOOKUP 関数 スピル」で検索してみてください)。

　一方 Python では、本節で説明したように、1 件分のデータをリストで取得できるので、インデックスを指定すれば任意に値を取り出せます。つまり、XLOOKUP でできるようになった処理でも、Python では特に意識しないでプログラミングできるわけです。

● 条件に合う複数の顧客を検索する

先ほどのコードでは、顧客マスタから「1つの顧客ID」で「1件の顧客」を検索しましたが、もしも「1つの顧客ID」で「複数の顧客」を検索できてしまうと、顧客を特定できなくなってしまいます。そのため、顧客マスタや商品マスタなどのマスタに入力してあるIDは、**データと「一対一」で対応していること**が求められます。このようなIDは、「**ユニークなID**」と呼ばれます。ユニーク (unique) には、「唯一の、一意の」という意味があります。

今回使用しているサンプルの顧客マスタでは、顧客IDはユニークなので、1つの顧客IDからは「1件の顧客」が検索されます。そのため、先ほどはターゲットの顧客IDと一致するデータが見つかり次第、break で検索のループを「終了」しました。

一方、顧客IDに「部分一致」する条件を用いて、「複数のデータ」を検索する場合もあります。例えば、顧客IDの先頭の文字に一致するケースです。サンプルの顧客マスタでは、顧客IDの先頭文字が「C」と「K」の2種類ありますが、今回は顧客IDが「K」で始まる顧客データを検索してみます。

図　IDと顧客は一対一の関係

図　先頭文字が「K」のIDと顧客は一対多の関係

プログラムは、target_list という空リストを作成しておき、顧客マスタのデータを1件ずつループさせて、条件に一致する場合は追加していきます。今回は条件に合うデータがあっても、break で終了させずに、全部の顧客をループさせます。

顧客IDの先頭文字が「K」であるかは、startswith("K") で判定します。customer[0].startswith("K") は、顧客IDが「K」で始まる場合に「True」を返します。

小さなコードで確認してみよう

IDLE の対話モードで、変数 a に K0001 を代入し、a.startswith("K") と入力すると、「True」と表示されます。これは、「変数 a の文字列は K から始まる」と判定されていることを意味します。

▮IDLE の対話モードで確認する

```
>>> a = "K0001"
>>> a.startswith("K")
True
```

　この startswith() のように、文字列型のデータにはドットでつなげて利用できる「メソッド」と呼ばれる機能が備わっています。Python の公式ドキュメントには、末尾文字を判定できる endswith() などさまざまな文字列のメソッドが紹介されています。

文字列メソッド

文字列は 共通の シーケンス演算全てに加え、以下に述べるメソッドを実装します。

文字列は、二形式の文字列書式化をサポートします。一方は柔軟さが高くカスタマイズできます (str.format()、書式指定文字列の文法、およびカスタムの文字列書式化を参照してください)。他方は C 言語の printf 形式の書式化に基づいてより狭い範囲と型を扱うもので、正しく扱うのは少し難しいですが、扱える場合ではたいていこちらのほうが高速です (printf 形式の文字列書式化)。

標準ライブラリの テキスト処理サービス 節は、その他テキストに関する様々なユーティリティ (re モジュールによる正規表現サポートなど) を提供するいくつかのモジュールをカバーしています。

str.capitalize()
　　最初の文字を大文字にし、残りを小文字にした文字列のコピーを返します。

URL 文字列メソッド（Python公式ドキュメント）
https://docs.python.org/ja/3/library/stdtypes.html#string-methods

　では、全体のコードを見ていきましょう。

▮ xl_search_customers.py

```
1  import openpyxl
2
3  wb = openpyxl.load_workbook("顧客マスタ.xlsx")
4  ws = wb["Sheet1"]
5
6  # 顧客マスタの全データリスト
7  customer_list = []
8
```

```
 9  for row in ws.iter_rows(min_row=2):
10      if row[0].value is None:
11          break
12      value_list = []
13      for c in row:
14          value_list.append(c.value)
15      customer_list.append(value_list)
16
17  # 検索結果リスト
18  target_list = []        条件に一致するデータをここに追加する
19
20  # 顧客の検索
21  for customer in customer_list:
22      # 検索条件(顧客IDがKで始まるか)
23      if customer[0].startswith("K"):
24          target_list.append(customer)     一致するデータをリストに追加
25
26  # 確認
27  for target in target_list:     検索結果をリストから取り出す
28      print(target)
```

実行結果

```
['K0004', '三和商事　株式会社 ', '食品流通部 ', '坂本美波 ',
'm.sakamoto@*****', '中山 ']
['K0005', '未来商事　株式会社 ', '調査部情報課 ', '城戸公子 ',
'siroto@*****', '有田 ']
['K0009', '共栄商事　株式会社 ', '物流管理部 ', '堀田恵子 ',
'k.hotta@*****', '田上 ']
```

　プログラムを実行すると、顧客IDが「K」で始まる3件の顧客データが表示されます。今回は、顧客IDに部分一致する条件で検索しましたが、「住所」がデータ項目にある場合は、startswith("東京")のようにすれば、都道府県ごとに顧客を検索することもできます。

IDの数値の範囲で検索するには?

　「K0004」の「0004」の部分のように、IDには大抵「数字の部分」があります。この部分を数値として認識して、範囲で検索するにはどうしたらよいでしょうか。それには、まず「数字の部分」を取り出す必要があります。

　文字列から文字を取り出す操作は、「リストの要素」の取り出し方と基本

的に同じです。インデックスを指定したり、for文で1文字ずつ取り出すことができるわけです。IDLEの対話モードで次のコードを試してみましょう。

▌文字列をリストのように扱う

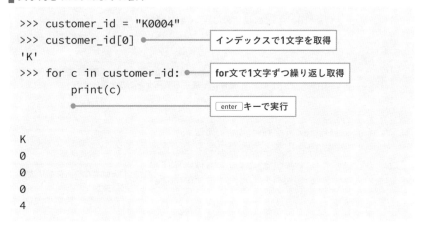

```
>>> customer_id = "K0004"
>>> customer_id[0]      ●──── インデックスで1文字を取得
'K'
>>> for c in customer_id:   ●──── for文で1文字ずつ繰り返し取得
        print(c)
        ●──────────── enter キーで実行

K
0
0
0
4
```

今回の顧客IDは、「先頭のアルファベット1文字＋数字の文字列」になっているので、次のように [1:] により「数字の部分」取り出せます。それをint()で整数型に変換すれば、数値として比較できるようになります。

▌文字列の数値の部分を取り出す

```
>>> customer_id[1:]      ●──── 数字の部分を取り出す
'0004'
>>> int(customer_id[1:])   ●──── 数字を取り出して整数型に変換
4
```

これで、顧客IDの数字の部分を、数値として認識できるようになったので、例えば数字の部分が「0007」以上の顧客を検索するには、xl_search_customers.pyのコードを次のように改良すれば可能になります。

▌IDの数値部分が7以上の顧客を検索する場合

```
...
# 顧客の検索
for customer in customer_list:
    customer_id = customer[0]
    # 顧客IDの数値部分
    number_id = customer_id[1:]
    # 検索条件(顧客 IDの数値部分が 7以上)
```

```
    if int(number_id) >= 7:
        target_list.append(customer)

...
```
int()で整数にしてから
数値の7と比較

検索のコードパターンは2通りだけ

本節では、「1つのデータだけを検索する」と「条件に合うデータを複数検索する」の**2つの検索パターン**を説明しました。

1つのデータだけを検索するコードは、条件に一致するデータが見つかったら、処理をおこなったあと、breakでループを終了します。コードにすると次のような形になります。

1つのデータだけを検索するコード

```
...
for customer in customer_list:
    if customer[0] == customer_id:
        処理
        break
```
検索条件

見つかり次第終了

一方、条件に合うデータを複数検索するコードは、次のように検索結果を入れる「空リスト」を用意しておき、全件のデータをチェックして、条件に合う場合はリストに追加します。この検索結果が入ったリストを処理に用います。

条件に合うデータを複数検索するコード

```
...
target_list = []

for customer in customer_list:
    if customer[0].startswith("K"):
        target_list.append(customer)

for target in target_list:
    処理
```
空リストを用意しておく

検索条件

検索条件に合うデータを
リストに追加

検索結果をリストから取り出す

今後もプログラミングで検索する場合は、この2つのパターンのいずれかを使用するので、覚えておきましょう。

4

Excelファイルの転記・集計をPythonでおこなう

表のデータを別のブックに転記する

◉ 顧客マスタからデータを転記する

次に、データ検索の応用にチャレンジしてみましょう。既存の Excel ブックのシートに、顧客マスタから検索したデータを転記します。今回は、次のような「売上データ_202007.xlsx」の右端の「H列」に、顧客の「当社営業担当」を顧客マスタから転記します。

図　売上データのH列に、「当社営業担当」を顧客マスタから転記する

プログラムでは、「顧客マスタ.xlsx」と「売上データ_202007.xlsx」の2つのブックを load_workbook() で読み込んでおきます。「売上データ_202007.xlsx」は、本書のサポートサイトからダウンロードしたファイルをプログラムと同じ「ch04」フォルダーに追加しておきます。

顧客マスタはいままでと同じく、最初に全データを空リストの customer_list に取り込んでおきます。売上データは、1行ずつ読み込みながら、「B列」の顧客IDと一致する顧客データを customer_list から検索します。該当する顧客データが見つかったら、顧客マスタの6列目にある「当社営業担当」(customer[5])を売上データの「H列」のセルに書き込みます(39行目)。売上データの全行について処理を完了したら、最後に別名でブックを保存します。

```
xl_copy_customer_data.py
1   import openpyxl
2
3   # 顧客マスタのブック、シート
4   wb_master = openpyxl.load_workbook("顧客マスタ.xlsx")
5   ws_master = wb_master["Sheet1"]
6
7   # 売上データのブック、シート
8   wb_data = openpyxl.load_workbook("売上データ_202007.xlsx")
9   ws_data = wb_data["Sheet1"]
10
11  # 顧客マスタの全データリスト
12  customer_list = []
13
14  for row in ws_master.iter_rows(min_row=2):
15      if row[0].value is None:
16          break
17      value_list = []
18      for c in row:
19          value_list.append(c.value)
20      customer_list.append(value_list)
21
22  # データ行番号
23  row_num = 3
24  # 列名追加
25  ws_data["H" + str(row_num)].value = "当社営業担当 "
26
27  # 売上データを1行ずつ処理
28  for row in ws_data.iter_rows(min_row=4):
29      row_num = row_num + 1
30
31      # 顧客ID: 売上データの「B列」（インデックス= 1）
32      customer_id = row[1].value
33
34      # 顧客の検索
35      for customer in customer_list:
36          # 検索条件（顧客IDの一致）
37          if customer[0] == customer_id:
38              # 当社営業担当を「H列」に追加
39              ws_data["H" + str(row_num)].value =
    customer[5]
40              break
```

顧客マスタの全データリストから探す

売上データのシートに「当社営業担当」を転記

```
41
42  # 別名で保存
43  wb_data.save("売上データ_202007_営業担当あり.xlsx")
```

　実行すると「売上データ_202007_ 営業担当あり.xlsx」が作成され、次のように顧客の「当社営業担当」の名前が、右端の H 列に追加されているのが確認できます。

図　H列に「当社営業担当」の名前が記載された

○ 売上データを顧客ごとのシートに転記する

　一概に「転記」といっても、前項のようにほかのシートから検索したデータを書き写す作業だけでなく、1 つのシートの中身を複数のシートに**振り分けて書き写す作業**の場合もあります。

　先ほど用いたサンプルの「売上データ_202007.xlsx」には、複数の顧客の売上データが入力されています。今回はこれを、**顧客ごとのシート**に振り分けて転記します。顧客ごとのシートは、売上データのブックにプログラムで追加します。最後に、そのブックを別名保存します。

　プログラムでは、最初にいままでと同じく、顧客マスタの全データを空

リストの customer_list に読み込んでおきます。次に、customer_list の顧客を1件ずつループし、その顧客 ID と一致するデータを売上データから検索し、data_list に追加していきます。これにより、「同じ顧客の売上データ」が data_list に格納されます。

　該当する顧客の売上データが1件でも存在したら（36行目）、その顧客名称でシートを新規に追加して、data_list の中身をそのシートに書き込みます。この処理をすべての顧客分繰り返すと完了です。

　1列目の「売上日」のセルは、日付で表示するために、number_format に年月日の書式を代入しておきます（45行目）。また、「計」のセルには数式が入力されているため、そのまま書き写すと元のセルの位置を参照して、誤った計算をしてしまいます。そこで、売上データのブックを読み込むときに「data_only=True」を指定し、値だけを書き写すようにします。

xl_copy_customer_sheets.py

```python
import openpyxl

# 顧客マスタのブック、シート
wb_master = openpyxl.load_workbook("顧客マスタ.xlsx")
ws_master = wb_master["Sheet1"]

# 売上データのブック、シート
wb_data = openpyxl.load_workbook("売上データ_202007.xlsx",
data_only=True)
ws_data = wb_data["Sheet1"]

# 顧客マスタの全データリスト
customer_list = []

for row in ws_master.iter_rows(min_row=2):
    if row[0].value is None:
        break
    value_list = []
    for c in row:
        value_list.append(c.value)
    customer_list.append(value_list)

# 顧客ごとに処理
for customer in customer_list:
```

> data_only=Trueで数式の「計」セルから値を取得できるようにする

```
24        customer_id = customer[0]
25        customer_name = customer[1]
26        # 売上データの検索
27        data_list = []          ←── ここに同じ顧客の売上データを入れる
28        for row in ws_data.iter_rows(min_row=4):
29            value_list = []
30            for c in row:
31                value_list.append(c.value)
32            # 検索条件(売上データの顧客IDが一致)
33            if value_list[1] == customer_id:
34                data_list.append(value_list)  ←┐
35                                                └─ 売上データをリストに追加
36        if len(data_list) > 0:
37            # 顧客名称をシート名にしてシート追加
38            ws_new = wb_data.create_sheet(title=customer_name)
39            # ヘッダー書き込み
40            ws_new.append(["売上日","顧客ID","顧客名称","商品名
   ","単価","数量","計"])
41            # データ書き込み            売上データをリストから取り出す
42            row_num = 2
43            for data in data_list:  ←┘
44                ws_new.append(data)
45                ws_new.cell(row_num,1).number_format =
   "yyyy/m/d"                           1列目だけ日付で表示
46                row_num = row_num + 1
47
48 # 別ブックで保存
49 wb_data.save("売上データ_202007_顧客別シート.xlsx")
```

F5 キーを押してプログラムを実行してみましょう。次のように、顧客ごと
にシートが作成され、各顧客の売上データが転記されているのを確認できます。

図　顧客ごとのシートが作成され、売上データが転記された

条件を満たすデータの個数や合計を求める

COUNTIFSとSUMIFSをPythonで実現

Excelの表を集計する場面で、よく用いられるのが「COUNTIFS関数」と「SUMIFS関数」の2つの関数。条件に一致するデータの「個数」と「合計」を求めることができます。

Pythonでは、すべてのデータをループしながら、条件に一致するデータをカウント・合計のどちらかをおこなうことで、同じ処理を実現できます。

顧客ごとの売上件数をカウントする

まずは、COUNTIFS関数と同じカウントの処理に挑戦しましょう。サンプルの「売上データ_202007.xlsx」を用いて、顧客ごとに売上件数をカウントしてみます。

ExcelのCOUNTIFS関数を用いる場合は、集計したい顧客の「顧客ID」を入力しておき、次のように =COUNTIFS(売上データの範囲 , 検索する顧客IDのセル) により件数をカウントします。

図　COUNTIFS関数で、Sheet1の売上データから顧客IDを数える

Pythonでは、最初にいままでと同様に、顧客マスタのデータをすべて空リストの customer_list に取り込んでおきます。次に、customer_list の顧客を1件ずつループさせて、その顧客IDと一致するデータが、売上データに何件あるかをカウントします。カウントが終了したら、売上データが計上された場合だけ、「顧客ID、顧客名称、売上件数（count_sales）」をリストにして result_list に追加します（39行目）。

すべての顧客について集計したら、売上データのブックに集計結果用のシートを追加して、そこに result_list の中身を書き込みます。最後に、そのブックを別名で保存します。

xl_count_sales.py

```python
1  import openpyxl
2
3  # 顧客マスタのブック、シート
4  wb_master = openpyxl.load_workbook("顧客マスタ.xlsx")
5  ws_master = wb_master["Sheet1"]
6
7  # 売上データのブック、シート
8  wb_data = openpyxl.load_workbook("売上データ_202007.xlsx")
9  ws_data = wb_data["Sheet1"]
10
11 # 顧客マスタの全データリスト
12 customer_list = []
13
14 for row in ws_master.iter_rows(min_row=2):
15     if row[0].value is None:
16         break
17     value_list = []
18     for c in row:
19         value_list.append(c.value)
20     customer_list.append(value_list)
21
22 # 集計結果を入れるリスト
23 result_list = []
24
25 # 顧客ごとに処理
26 for customer in customer_list:
27     customer_id = customer[0]
28     customer_name = customer[1]
```

```
29    # 売上件数のカウント
30    count_sales = 0        これに同じ顧客の売上件数を足していく
31    # 売上データの検索
32    for row in ws_data.iter_rows(min_row=4):
33            # 検索条件(売上データの顧客IDが一致)
34            if row[1].value == customer_id:
35                count_sales = count_sales + 1
36                                        1を加えてカウントする
37        if count_sales > 0:
38            # 顧客ID、顧客名称、売上件数の3項目を追加
39            result_list.append([customer_id, customer_name,
   count_sales])
40
41    # 集計結果用シートを追加
42    ws_new = wb_data.create_sheet(title="顧客別売上件数")
43    # ヘッダー書き込み
44    ws_new.append(["顧客ID","顧客名称","売上件数"])
45    # 集計結果書き込み
46    for result in result_list:
47        ws_new.append(result)
48
49    # 別名で保存
50    wb_data.save("売上データ_202007_顧客別売上件数.xlsx")
```

　プログラムを実行してみましょう。「売上データ_202007_顧客別売上件数.xlsx」が作成され、次のように顧客ごとに「売上データの件数」が集計されているのを確認できます。

	A	B	C	D	E	F	G
1	顧客ID	顧客名称	売上件数				
2	C0001	株式会社 鈴木商店	5				
3	C0003	サン企画 有限会社	5				
4	K0004	三和商事 株式会社	4				

セル A1 = 顧客ID　Sheet1 / 顧客別売上件数

図　顧客ごとの売上データの件数を集計できた

今回のプログラムは、「顧客マスタに登録されている顧客」について売上データがあるかをチェックしました。顧客マスタをループさせるので、一緒に顧客情報なども取得できて使い勝手のよい方法です。

しかし、**「顧客マスタにない顧客」については集計されません**。顧客マスタは、漏れがないように更新しておくことが原則ですが、次のようなコードを追加しておけば、顧客マスタにない顧客の見落としを防げます。最終行の `wb_data.save("売上データ_202007_顧客別売上件数.xlsx")` の前に追記します。

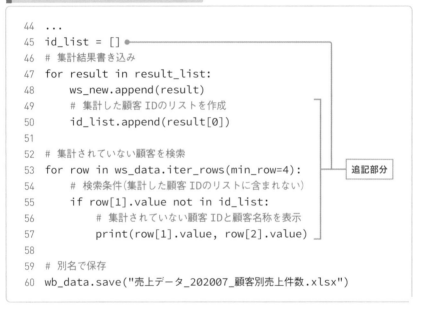

```
44    ...
45    id_list = []
46    # 集計結果書き込み
47    for result in result_list:
48        ws_new.append(result)
49        # 集計した顧客IDのリストを作成
50        id_list.append(result[0])
51
52    # 集計されていない顧客を検索
53    for row in ws_data.iter_rows(min_row=4):
54        # 検索条件(集計した顧客IDのリストに含まれない)
55        if row[1].value not in id_list:
56            # 集計されていない顧客IDと顧客名称を表示
57            print(row[1].value, row[2].value)
58
59    # 別名で保存
60    wb_data.save("売上データ_202007_顧客別売上件数.xlsx")
```

55行目の「**要素 not in リスト**」は、リストに特定の要素が含まれていない場合に True を返します。「**要素 in リスト**」は、リストに特定の要素が含まれていると True を返します。

「in」と「not in」の使い方

```
# リストに要素が含まれている場合にTrue
要素 in リスト
# リストに要素が含まれていない場合にTrue
要素 not in リスト
```

176

••• column •••

小さなコードで確認してみよう

　IDLE の対話モードで確認してみましょう。変数 a に 1 ～ 3 の数値のリストを代入し、1 in a と入力すると、「True」と表示されます。4 not in a と入力すると、こちらも「True」と表示されます。

▌**IDLE の対話モードで確認する**

```
>>> a = [1, 2, 3]
>>> 1 in a
True
>>> 4 not in a
True
```

　プログラム内では、id_list に集計済みの顧客 ID を格納しておき、売上データのすべての顧客 ID について、集計済みかどうかを「not in」でチェックします。まだ集計されていない顧客 ID が検出されたら、print() で表示します。

○顧客ごとの売上額を集計する

　サンプルの「売上データ_202007.xlsx」を用いて、顧客ごとの売上額を集計してみます。Excel の「SUMIFS 関数」を用いる場合は、集計したい顧客の「顧客 ID」を入力しておき、次のように =SUMIFS(売上データの売上の範囲 , 売上データの顧客 ID の範囲 , 検索する顧客 ID のセル) により、売上の合計を集計します。

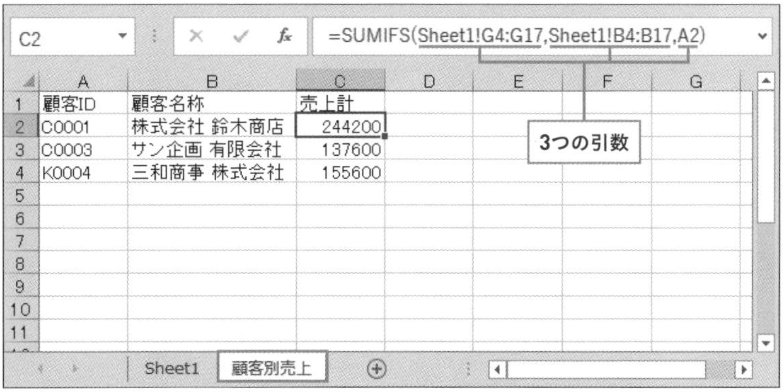

図　SUMIFS関数で、Sheet1の売上データから顧客ごとの売上合計金額を集計する　177

このプログラムは、前項の「売上件数をカウントする場合」とほとんど同じです。売上件数のカウントでは、顧客 ID が一致するデータがあるたびに、count_sales に「1」を加えました。売上の合計を集計するには、sum_sales に「売上額」を足していきます。

　売上データの「計」のセルには数式が入力されているので、値を取得できるように、ブックの読み込み時に「data_only=True」を指定するのを忘れないようにしてください。

▌ xl_sum_sales.py

```python
1   import openpyxl
2
3   # 顧客マスタのブック、シート
4   wb_master = openpyxl.load_workbook("顧客マスタ.xlsx")
5   ws_master = wb_master["Sheet1"]
6
7   # 売上データのブック、シート
8   wb_data = openpyxl.load_workbook("売上データ_202007.
    xlsx", data_only=True)
9   ws_data = wb_data["Sheet1"]
10
11  # 顧客マスタの全データリスト
12  customer_list = []
13
14  for row in ws_master.iter_rows(min_row=2):
15      if row[0].value is None:
16          break
17      value_list = []
18      for c in row:
19          value_list.append(c.value)
20      customer_list.append(value_list)
21
22  # 集計結果を入れるリスト
23  result_list = []
24
25  # 顧客ごとに処理
26  for customer in customer_list:
27      customer_id = customer[0]
28      customer_name = customer[1]
29      # 売上の集計
30      sum_sales = 0
```

> data_only=Trueで数式の「計」セルから値を取得できるようにする

> これに同じ顧客の売上額を足していく

```
31        # 売上データの検索
32        for row in ws_data.iter_rows(min_row=4):
33            # 検索条件(売上データの顧客 IDが一致)
34            if row[1].value == customer_id:
35                # 売上の額は「G列(インデックス =6)」
36                sum_sales = sum_sales + row[6].value
37
38        if sum_sales > 0:
39            # 顧客 ID、顧客名称、売上合計の 3項目を追加
40            result_list.append([customer_id, customer_name,
   sum_sales])
41
42  # 集計結果用シートを追加
43  ws_new = wb_data.create_sheet(title="顧客別売上 ")
44  # ヘッダー書き込み
45  ws_new.append(["顧客 ID","顧客名称 ","売上計 "])
46  # 集計結果書き込み
47  for result in result_list:
48      ws_new.append(result)
49
50  # 別名で保存
51  wb_data.save("売上データ_202007_顧客別売上合計.xlsx")
```

売上額の集計

4

Excelファイルの転記・集計をPythonでおこなう

実行すると「売上データ_202007_ 顧客別売上合計.xlsx」が作成され、次のように顧客ごとに「売上の合計」が集計されているのを確認できます。

	A	B	C	D	E	F	G
1	顧客ID	顧客名称	売上計				
2	C0001	株式会社 鈴木商店	244200				
3	C0003	サン企画 有限会社	137600				
4	K0004	三和商事 株式会社	155600				
5							
6							
7							
8							
9							
10							

Sheet1　顧客別売上　(+)

図　売上の合計が集計された

なお、ここでも顧客マスタから漏れてしまっている顧客は集計されません。前項「売上件数のカウント」で説明したのと同じコードを追加することで、顧客マスタにない顧客の見落としを防止できます。

179

4-6 Pythonで自動化する メリットとは

◎Excelファイルを単なるデータファイルとして扱える

　本章では、Excelの三大関数(VLOOKUP、COUNTIFS、SUMIFS)でふだん作業している「転記・集計」をPythonでプログラミングする方法を説明してきました。しかし、これらの作業を、何でもPythonに置き換えればよいわけではありません。Excelのほうがしやすい作業は、従来どおりExcelを使えばよいのです。特に、「入力作業の効率化」には、Excelの関数は必要不可欠です。「VLOOKUP関数」なら検索結果はリアルタイムで反映されますが、Pythonではそれができません。

　では、Pythonを使うメリットとは、何でしょうか。それは、**Excelのブックを単なるファイルとして、Pythonのプログラムから操作できること**です。そのため、Excelを起動する必要はありません。Pythonから実行する処理は、Excelとは完全に「分離」させることができます。このことが、次のようないままでにないメリットをもたらしてくれます。

◎機能を簡単に変更・ちょい足しできる

　本章では、売上データの右端に、「当社営業担当」を加えるプログラムをPythonで作成しました。この処理は、「VLOOKUP関数」でもおこなえます。しかし、もし加えるデータを「顧客の担当者」に変更したくなった場合は、すべてのセルのVLOOKUP関数の引数(3つ目の列番号)を修正しなければなりません。Pythonなら、インデックスの番号を**コードの1箇所で変更するだけ**で済みます。

　さらに、その右側に「顧客担当者のメールアドレス」も加えたくなった場合は、次のように**コードを1行追加するだけ**で済みます。

xl_copy_customer_data.py を一部変更するだけで済む

```
...
    # 顧客の検索
    for customer in customer_list:
        # 検索条件(顧客IDの一致)
        if customer[0] == customer_id:
            # [変更]:顧客の担当者
            ws_data["H" + str(row_num)].value = customer[3]
            # [追加]:担当者のメールアドレス
            ws_data["I" + str(row_num)].value = customer[4]
            break
...
```

顧客の担当者のインデックスに変更するだけ

簡単にデータの列を追加できる

このように処理を「Python に分離」しておくことで、**機能の変更や追加**が、**Excel を起動することなく、簡単におこなえるようになります。**

○ ブックやシートを役割ごとに分けられる

一般的なオフィスワークでは、Excel で作成するワークシートの種類は「データ」と「帳票」の2つがメインです。業務を効率化するには、この2つを **Python のような「プログラムで連携させること」**がポイントになります。

例えば、次章の請求書作成プログラムでは、「売上データ」と「請求書の帳票ひな型」は別々のブックで用意しておきます。帳票のひな型へは、手入力は一切せず、すべてプログラムで売上データから転記します。

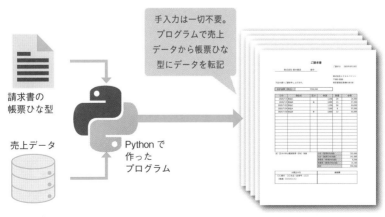

図　第5章の帳票作成のイメージ

実務では、帳票に直接データを入力してしまうことがありますが、それだと全社で集計するには、帳票から一覧表を作成することになります。ここで、もし帳票の中身に変更があった場合は、帳票と一覧表の両方を修正することになります。つまり、「あっちを直したら、こっちも直す」という状況になってしまいます。それは、明らかに非効率であり、集計ミスの原因ともなります。

　一方、完全にプログラムだけで、データから帳票に転記する仕組みを構築しておけば、**データと帳票は、役割をはっきり分けることができます。**それぞれのブックやシートはお互いに依存させず、別々に管理します。

　そうすれば、データと帳票の組み合わせも簡単に変更できるようになります。請求書の書式が変更になったら、ひな型のシートを差し替えるだけで済みます。さらに、数種類のデータを組み合わせて、新たな帳票を作成することもできます。

　データを直接入力した帳票には、それ以上の利用価値は見込めません。**データと帳票は分離して、プログラムで組み合わせるようにする**ことで、再利用したりアレンジしたりすることが可能になります。その結果、それぞれの利用価値が上がります。それを可能にしてくれるのが、連携役のPythonなのです。

第 **5** 章

帳票作成を
Python で
おこなう

本章では、
Excel で管理している「データ」から
ひな型に転記して「帳票」を
Python で作成します。
考え方をステップごとに
詳しく説明しますので、
「プログラムを作るプロセス」を体感しながら
学習してください。
「Python」と「Excel VBA」の
両方を活用する効率的な方法も説明します。

5-1 請求書作成の手順を整理する

○ プログラムで何を実現したいのか明確にしよう

　本章では、これまで学習してきた内容を組み合わせて、次のような1カ月分の「売上データ」シートから、「顧客ごとの請求書」をPythonで作成します。

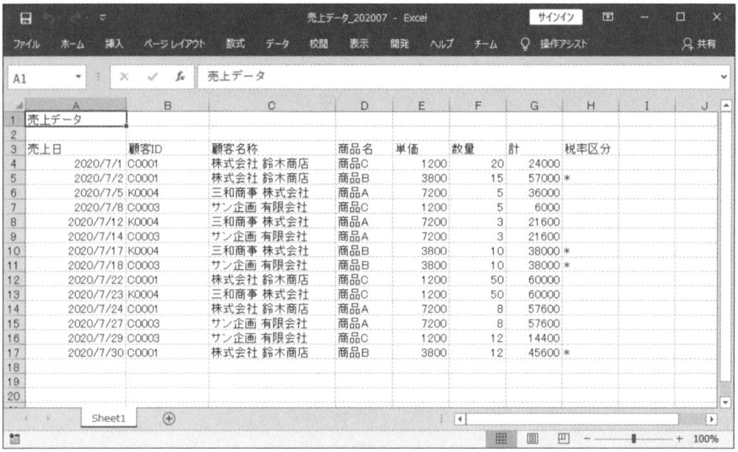

図　売上データのシート

　請求書は次ページの図のように、小計と消費税を8%と10%の税率ごとに分けて記載します。この書式で作成しておけば、2023年からスタートするインボイス制度に対応しやすくなります。また、発行事業者の登録番号などを適当な場所に記載すれば、適格請求書の作成に利用できます（詳しくは国税庁ホームページで確認できます）。

184

ご請求書

ご請求日　　2020年8月10日

株式会社 鈴木商店　　　御中

株式会社エクセルパイソン
〒000-0000
東京都港区新橋0-00-00

下記の通りご請求申し上げます。

合計金額（税込）	¥266,568

日付	商品名	区分	単価	数量	金額
2020/7/1	商品C		1,200	20	24,000
2020/7/2	商品B	※	3,800	15	57,000
2020/7/22	商品C		1,200	50	60,000
2020/7/24	商品A		7,200	8	57,600
2020/7/30	商品B	※	3,800	12	45,600

注）区分の※は軽減税率（8%）対象

小計（税率8%対象）	102,600
小計（税率10%対象）	141,600
消費税（税率8%対象）	8,208
消費税（税率10%対象）	14,160
合計	266,568

お振込み先	連絡欄
○○銀行　○○支店（店番号：○○） （普通）○○○○○○	

図　本書で作成する請求書の例

　完成した請求書は、次ページの図のように**1つのブック**にまとめます。シートを顧客ごとに分けて請求書を作成すると、後述するように印刷やPDFでの保存が容易になります。今回は、顧客ごとにPDFで保存して、顧客にメールに添付して送信できるようにします（メール送信は第7章でプログラミングします）。

図　請求書のブック

◎いつも手作業でしていることを手順にする

　プログラミングとは、「コンピュータへの指示書」を書く作業といえます。コンピュータにきっちり仕事をしてもらうには、人がすべての工程を正確にプログラミングしなければなりません。そのためには、プログラミングに着手する前に、**ミスやモレがないよう、すべての工程を「見える化」する**必要があります。

この段階では、Python やプログラミングのことを考える必要はありません。Excel ならどうやって作業するのかを 1 つずつ棚卸ししていきましょう。今回の請求書作成の工程は、次図のようにまとめることができます。ここでは、Excel の「フィルター機能」を使うケースを想定しています。

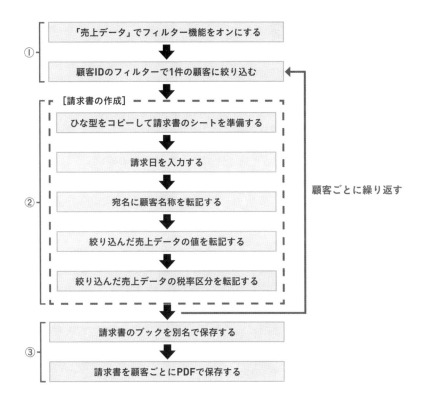

図　請求書作成のフロー

この図から、工程は大きく 3 つに分類できることが分かります。まずは「①売上データを顧客ごとに絞り込み」、そのデータを用いて「②請求書を作成」します。すべての顧客について、①と②の作業を繰り返したら、最後に「③ブックの保存と PDF 保存」をおこないます。

「①売上データの絞り込み」の工程を見える化してみましょう。Excel でファイルを開き、フィルター機能をオンにし、「1 つの顧客 ID」に絞り込む……という手順を今回は採用しました。

図　Excelのフィルターによる絞り込み

　次に、絞り込んだ売上データを転記して、「②請求書の作成」をおこない
ます。貼り付けるための「請求書のシート」は、ひな型をコピーして準備し
ておきます。そこに「請求日」を入力し、「顧客名称」を宛名のセルに転記し
ます。そして、上記で絞り込んだ売上データの「商品名」「単価」「数量」「計」
の値を表の部分に転記します。「税率区分」に何らかのマークが記入されて
いるデータは、請求書の「区分」の欄に米印（※）を入力します。

　「①売上データの絞り込み」から「②請求書の作成」までの一連の作業をす
べての顧客分おこなったら、最後のステップ「③ブックの保存とPDF保存」
に進みます。このステップでは、別名でブックを保存し、顧客ごとにPDF
で保存して、提出できるようにします。今回は、ブックの保存までを
Pythonのプログラムが、PDFの作成をVBAのマクロが担当します。

　まずは、Pythonのプログラムを作成しましょう。

◎ コードのパーツをツギハギに組み合わせていこう

　本章で作るプログラムは、これまでより規模が大きいこともあり、不安
に感じるかもしれません。しかし、一見難しそうに見えるプログラムでも、
その本質は小さな機能の組み合わせです。

　今回のプログラムも、**これまでに本書で学んだ内容を組み合わせるだけ**
で簡単に作成できます。先ほどの作業の手順を見ると、顧客ごとに「売上
データの絞り込み」ができれば、あとは「請求書の作成」はセルへの入力な
ど単純なExcel操作で済むことが分かります。

　このように、私たちビジネスパーソンのプログラミングは、本職のプログラマーとは異なり、ツギハギだらけでもかまいません。ちゃんと正確に動いてくれるコードが書ければ十分なのです。

　では、ここで見える化した機能を次節から Python でプログラミングしていきましょう。「前半」と「後半」の2つに分けてプログラムを作成します。

・請求書作成プログラムの「前半」：5-2 顧客ごとの売上データの絞り込み
・請求書作成プログラムの「後半」：5-3 顧客ごとの請求書の作成

すべてのプログラムは小さな機能の組み合わせ

　一見難しいプログラムも小さな機能の組み合わせ──この考え方は、本書を学び終え、自分自身で新しいプログラムを作っていくときにも有効です。

　小さな機能を実現する「コードのパーツ」は、ネットや書籍などから探せます。こうした情報を吟味して、組み合わせていけば、あなたによるあなただけのプログラムを作成できます。

5

帳票作成をPythonでおこなう

5-2 顧客ごとの売上データの絞り込み

◉ 3つのExcelブックを読み込んで絞り込む

　「売上データの絞り込み」は、4-4節の「売上データを顧客ごとのシートに転記する」で作成したコードをほとんど流用できます。前回は、最初に読み込むブックは「顧客マスタ」と「売上データ」の2つでしたが、今回はそこに「請求書ひな型」が加わり3つになります。この3つのブックは、本書のサポートサイトからダウンロードしたサンプルファイルに用意してあります。プログラムと同じ「ch05」フォルダーに追加しておきましょう。

　プログラムは次のように4-4節と同じく、最初に顧客マスタの全データを空リストの customer_list に読み込んでおきます。次に、29行目の for 文で customer_list から顧客データを1件ずつ取り出して、その中の34行目の for 文でその顧客の売上データを検索します。

　34行目の for 文のブロックでは、取り出した顧客データと売上データの顧客IDを比較し、一致するデータだけを data_list に追加します（39～40行目）。これが顧客IDで絞り込むフィルターの処理にあたります。4-4節では、data_list に格納したデータをそのまま別シートに書き込みましたが、今回のこのデータを次節で「請求書」に書き込みます。

　このプログラムの最後では、data_list の先頭（[0]）と末尾（[-1]）を print() で表示して、期待どおり売上データが顧客ごとに絞り込まれているかを確認します。

xl_invoice_create.py（前半）

```
1  import openpyxl
2  import datetime
3
4  # 顧客マスタのブック、シート
5  wb_master = openpyxl.load_workbook("顧客マスタ.xlsx")
6  ws_master = wb_master["Sheet1"]
7
```

```
 8  # 売上データのブック、シート
 9  wb_data = openpyxl.load_workbook("売上データ_202007.
    xlsx", data_only=True)
10  ws_data = wb_data["Sheet1"]
11
12  # 請求書ひな型のブック、シート
13  wb_inv = openpyxl.load_workbook("請求書ひな型.xlsx")
14  ws_inv = wb_inv["Sheet1"]
15
16
17  # 顧客マスタの全データリスト
18  customer_list = []
19
20  for row in ws_master.iter_rows(min_row=2):
21      if row[0].value is None:
22          break
23      value_list = []
24      for c in row:
25          value_list.append(c.value)
26      customer_list.append(value_list)
27
28  # 顧客ごとに処理
29  for customer in customer_list:
30      customer_id = customer[0]        ●——— 顧客ID
31      customer_name = customer[1]      ●——— 顧客名称
32      # 売上データの検索
33      data_list = []  ●——————— 転記する売上データをここに入れる
34      for row in ws_data.iter_rows(min_row=4):
35          value_list = []
36          for c in row:
37              value_list.append(c.value)
38          # 検索条件（売上データの顧客 IDが一致）         顧客IDが一致した
39          if value_list[1] == customer_id:              データだけ追加
40              data_list.append(value_list)
41
42      if len(data_list) > 0:
43          # 確認
44          print(data_list[0])
45          print(data_list[-1])    ●——— 売上データの先頭と末尾を表示
46          # ここから請求書作成の処理を行う（後半のコード）
```

5

帳票作成をPythonでおこなう

プログラムを実行すると、次のように同じ顧客の売上データが先頭と末尾の2行ずつ表示され、顧客ごとに絞り込まれているのが確認できます。売上データをすべて表示すると確認しづらくなるので、今回は先頭と末尾の2行ずつ表示するようにしています。

実行結果

```
[datetime.datetime(2020, 7, 1, 0, 0), 'C0001', '株式会社 鈴木商店 ', '商品C', 1200, 20, 24000, None]
[datetime.datetime(2020, 7, 30, 0, 0), 'C0001', '株式会社 鈴木商店 ', '商品B', 3800, 12, 45600, '*']
[datetime.datetime(2020, 7, 8, 0, 0), 'C0003', 'サン企画 有限会社 ', '商品C', 1200, 5, 6000, None]
[datetime.datetime(2020, 7, 29, 0, 0), 'C0003', 'サン企画 有限会社 ', '商品C', 1200, 12, 14400, None]
[datetime.datetime(2020, 7, 5, 0, 0), 'K0004', '三和商事 株式会社 ', '商品A', 7200, 5, 36000, None]
[datetime.datetime(2020, 7, 23, 0, 0), 'K0004', '三和商事 株式会社 ', '商品C', 1200, 50, 60000, None]
```

5-3 顧客ごとの請求書を作成する

● 請求書のひな型を準備する

本節では、顧客ごとの請求書の作成に取り組みます。手順は意外と簡単です。請求書のひな型をコピーしてシートを準備しておき、そこに該当する顧客の売上データを書き込みます。請求書のシートに書き込むプログラミングは、第3章で学んだ内容だけで可能です。

図 請求書のひな型は、専用のブック「請求書ひな型.xlsx」として用意しておく

5
帳票作成をPythonでおこなう

請求書のひな型は、専用のブックとして「請求書ひな型.xlsx」を準備しておきます。前ページの図のように、青枠部分に宛名や明細などを入力すれば、そのまま提出できるように体裁を整えておくのがポイントです。日付や金額のセルには、適切な「セルの書式」を設定しておきましょう。

数式は、小計（H29セルとH30セル）、消費税（H31セルとH32セル）、合計（H33セルとC9セル）に入力しておきます。それぞれ、以下で説明するように数式を指定します。

小計のセルの数式

小計のセルは、「税率8％の小計」と「税率10％の小計」の2つに分かれています。E列の「区分」の欄に「※」が入力されている場合は税率8％対象、空欄の場合は税率10％対象になるように、次のように「SUMIFS関数」で小計を計算します。

▌H29セルの数式（税率8％対象の小計を求める）

```
=SUMIFS(H12:H28, E12:E28, "※")
```

この数式では、「※」が入力されている行をE列から探し、同じ行のH列の数値を合計しています。

▌H30セルの数式（税率10％対象の小計を求める）

```
=SUMIFS(H12:H28, E12:E28, "")
```

こちらの数式では、空欄("")の行をE列から探し、同じ行のH列の数値を合計しています。

消費税のセルの数式

消費税のセルには、小計に各税率を掛けて消費税額を求め、「ROUNDDOWN関数」で小数点以下を切り捨てます。

▌H31セルの数式（税率8％対象の消費税を求める）

```
=ROUNDDOWN(H29*8%, 0)
```

▌H32 セルの数式（税率 10％対象の消費税を求める）

```
=ROUNDDOWN(H30*10%, 0)
```

合計のセルの数式

H33 の「合計」セルには「SUM 関数」を入力し、すべての小計・消費税の合計を求めます。C9 セルには H33 セルの値をそのまま代入します。なお、C9 セルの配置は C9:F9 を「選択範囲内で中央」に設定しています。

▌H33 セルの数式

```
=SUM(H29:H32)
```

▌C9 セルの数式

```
=H33
```

なお、H12 セル～ H28 セルの「金額」の欄の値は、請求書のシートの数式で計算するのではなく、売上データのシートで計算済みの値を転記することとします。このように、同じ計算を 2 箇所でおこなわないことにより、万が一計算ミスが見つかった場合でも、元の売上データのシートが間違っていることが明確になるため、原因を究明しやすくなります。

••• column •••

「選択範囲内で中央」とは

複数のセルをつなげた範囲で文字を中央揃えしたい場合には、「セルの結合」がよく用いられますが、「選択範囲内で中央」でも見た目を同じにできます。設定するには、複数のセルを横方向に選択して右クリックで［セルの書式設定］の画面を開き、［配置］タブの［横位置］のドロップダウンリストから［選択範囲内で中央］を選択します（右図）。セルの結合は便利な機能ですが、コピペをしようとするとエラーになるケースがあるなど問題点もあるので、できるだけ「選択範囲内で中央」のほうを使います。

図 「選択範囲内で中央」の設定方法

5

帳票作成をPythonでおこなう

請求書のシートを作成する

　最初に、14行目で ws_inv に代入しておいたひな型のシートをコピーして、これから作成する請求書のシートを準備します（47行目）。そのシートの title に、顧客 ID を収めた customer_id を代入して、シート名を「顧客 ID」に変更します（49行目）。

　続いて、各セルに値を入力していきます。各セルへは、ws_new.cell(行番号 , 列番号).value に値を代入して入力します。ここで、「請求日」のセルには、datetime 型で日付を入力することに気を付けてください。また、税率区分は、「8%」は売上データのシートでは「*」でマークされているので、is not None で空欄でない場合に「※」を請求書に入力するようにします（is not None の使い方は、4-2節の「マークのある顧客を読み飛ばす方法」と同じです）。

　最後に、コピーに使用したひな型のシートの ws_inv を削除して、「請求書 _202007.xlsx」という名前でブックを別名保存します。

xl_invoice_create.py（後半）

```
42     if len(data_list) > 0:
43         # 確認(前半で確認したのでコメントにしておく)
44         # print(data_list[0])
45         # print(data_list[-1])
46         # 請求書ひな型のシートをコピー
47         ws_new = wb_inv.copy_worksheet(ws_inv)       # 顧客の請求書のシートを準備
48         # 顧客 IDをシート名にする
49         ws_new.title = customer_id
50         # 宛名書き込み
51         ws_new.cell(3,1).value = customer_name
52         # 請求日書き込み
53         ws_new.cell(2,8).value = datetime.
   datetime(2020, 8, 10)
54         # 表部分へのデータ書き込み(A、B、E、F、G、H列に書き込む)
55         row_num = 12
56         for data in data_list:
57             ws_new.cell(row_num,1).value = data[0]
58             ws_new.cell(row_num,2).value = data[3]
59             # 税率区分
60             if data[7] is not None:
61                 ws_new.cell(row_num,5).value = "※ "
```

```
62            ws_new.cell(row_num,6).value = data[4]
63            ws_new.cell(row_num,7).value = data[5]
64            ws_new.cell(row_num,8).value = data[6]
65            row_num = row_num + 1
66
67    # 請求書ひな型のシートは削除
68    wb_inv.remove(ws_inv)
69    # 別ブックで保存
70    wb_inv.save("請求書_202007.xlsx")
```

プログラムを実行すると、「請求書_202007.xlsx」という名前のブックが作成されます。このブックを開くと、次のように顧客ごとにシートを分けて請求書が作成されているのを確認できます。

図 プログラムで作成された「請求書_202007.xlsx」

毎月の処理をもっと簡単にするには

　今回のプログラム（xl_invoice_create.py）を毎月使用する場合は、売上データのブック名や請求日を**画面から入力できるようにする**と便利になります。つまり、コードを毎回書き換えないで済むようになります。

　画面で入力した文字を、プログラムで受け取るには、input() を利用します。かっこの中に文字列を指定すると、ユーザーに何を入力してもらいたいかメッセージを表示することができます。

▌IDLE の対話モードで input() を試す

```
>>> text = input("あなたの名前は？: ")
あなたの名前は？: スズキタロウ
>>> print(text)          画面で入力
スズキタロウ
```

　表示されたメッセージに何らかのテキストを入力して Enter キーを押すと、input() は入力されたテキストを文字列として返します。上記の例では、メッセージのあとに入力した文字列「スズキタロウ」が input() により変数 text に代入されます。

　この input() を使って、xl_invoice_create.py を次のように少し改良してみます。

▌xl_invoice_create_input.py

```
1  import openpyxl
2  import datetime
3
4  # 売上データのブック名の年月部分の入力
5  file_date = input("売上データのブック名の年月部分(例:
   202007) = ")
6
7  # 請求日の画面入力
8  inv_date = input("請求日(例: 2020,8,10) = ")
9  inv_datetime = datetime.datetime.strptime(inv_
   date, "%Y,%m,%d")

   ...
```

```
16  # 売上データのブック、シート
17  wb_data = openpyxl.load_workbook("売上データ_" +
    file_date + ".xlsx", data_only=True)
    ...
```

「+」で売上データのブック名を組み立てる

```
36  # 顧客ごとに処理
37  for customer in customer_list:
        ...
50      if len(data_list) > 0:
            ...
57          # 請求日書き込み
58          ws_new.cell(2,8).value = inv_datetime
```

請求日

「+」で保存するブック名を組み立てる

```
    ...
74  # 別ブックで保存
75  wb_inv.save("請求書_" + file_date + ".xlsx")
```

このプログラムを実行すると、次図のようにメッセージが表示されるので、その後ろにデータを入力します。このように画面から「売上データのブック名の年月部分」と「請求日」を入力できるようになります。

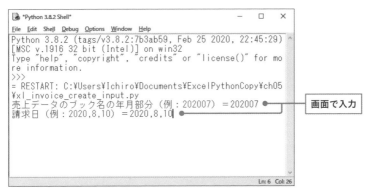

画面で入力

図 メッセージが表示されたら、データを入力して Enter キーを押す。
これで売上データのブック名や請求日が毎月変わるのに対応できる

なお、input() は画面から入力したデータを文字列として受け取るので、日付は第3章で説明した datetime の strptime() を用いて、文字列からdatetime 型に変換しています。

5

帳票作成をPythonでおこなう

5-4 請求書を印刷して PDF として保存しよう

● Excelでまとめて印刷するための工夫

　ここまでのプログラムでは、1 カ月分の請求書を、顧客ごとにシートに分けて、1 つのブックに作成しました。1 つのブックに 1 カ月分の請求書が入っているので、シートを切り替えるだけで閲覧でき、チェックも容易におこなえます。

　さらには、印刷するときも次のように [印刷] の設定画面から [ブック全体を印刷] を選択すれば、すべての請求書をまとめて印刷できます。

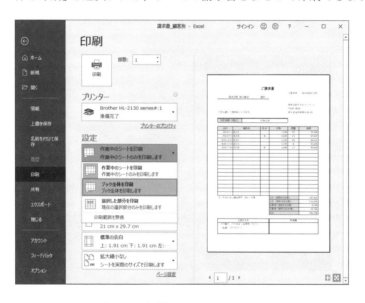

　なお、Excel ブックに収納できるシート数は、使用可能メモリに依存します。つまり、パソコンのメモリに余裕があれば、大量のシートを追加できることになりますが、通常はあまり気にしないで大丈夫です。例えば、1 つのブックに今回の請求書を 1,000 シート追加しても、ブックの容量は 3MB 程度です。このくらいの容量のブックなら、パソコンのメモリが 4GB でもスムーズに操作できます。

••• column •••

シートの検索

　Excel のシート数が多くなると、画面左下の矢印（◀と▶）だけで目的の
シートを探すのは大変です。そんなときは、矢印のあたりで右クリックして
みてください。[シートの選択] ダイアログボックスでシートが一覧表示さ
れるので、選択して [OK] をクリックすれば、すぐに対象のシートに移動で
きます。これなら、シートが 1,000 枚あっても一発で探し出せます。

図　画面左下の矢印（◀と▶）を右クリックすると、[シートの選択]
　　ダイアログボックスが表示される

● 顧客ごとにPDFを保存する

　第 7 章では、メールの自動送信にチャレンジします。しかし、いろいろ
な顧客のシートが保管されている請求書ブックをそのままでは添付できない
ので、顧客ごとに切り離す必要があります。シートごとにブックを分けるの
も手ですが、もしかしたら顧客は Excel を持っていないかもしれませんし、
編集できてしまう状態なのも考えものです。そこで、1 つひとつのシートを
PDF ファイルとして保存し、そのファイルをメールに添付することにしま
しょう。

とはいえ、請求書のブックを 1 シートずつ切り替えて PDF として保存するのは大変です。ここは Python で自動化……といきたいところですが、実はいちばん簡単なのは Excel VBA を利用する方法です。Excel VBA には、「ExportAsFixedFormat」という「PDF」または「XPS」への出力を操作できる命令（メソッドと呼ばれます）があるので、今回はこれを使うことにしましょう。

今回のマクロを Excel VBA で作成すると次のようになります。このマクロを実行すれば、シートごとに PDF を作成してくれます。

█ 請求書ひな型 _vba.xlsm の Module1 のコード

```
 1  Sub シートごとに PDF保存 ()
 2      Dim ws As Worksheet
 3      Dim pdffile As String
 4
 5      ' シートごとに PDF保存
 6      For Each ws In Worksheets
 7          ' シート名を PDFファイル名にする
 8          pdffile = ThisWorkbook.Path & "¥" & ws.Name &
    ".pdf"
 9          ' シートを左右中央に配置
10          ws.PageSetup.CenterHorizontally = True
11          ws.ExportAsFixedFormat _
12              Type:=xlTypePDF, _
13              Filename:=pdffile
14      Next
15  End Sub
```

ExportAsFixedFormat メソッドの引数は、次ページの表のように設定します。PDF 形式で保存するので、「Type」は「xlTypePDF」にします。「Filename」に指定する PDF のファイル名には「シート名」をそのまま用います。これで、PDF を「顧客 ID.pdf」のファイル名で保存できます。PDF はこのブックと同じフォルダーに保存したいので、前に ThisWorkbook.Path & "¥" を付けておきます。ThisWorkbook.Path により、ブックが所在するフォルダーを取得できます。また、10 行目の ws.PageSetup. CenterHorizontally = True を設定しておくと、印刷位置を横方向の中央揃えにしてくれます。

引数の名前	入力値	説明
Type	xlTypePDF	PDF 形式で保存
Filename	ブック所在のフォルダー & "¥" & シート名 & ".pdf"	シート名をファイル名にする

表 ExportAsFixedFormatに設定した引数の値

ExportAsFixedFormat メソッドの詳細な内容は、マイクロソフトの
ホームページに記載されているドキュメント (https://docs.microsoft.com/
ja-jp/office/vba/api/excel.worksheet.exportasfixedformat) で参照できます。

「請求書ひな型.xlsx」に上記のマクロを追加するには、ブックを開いた状
態で Alt + F11 キーを押して、「VBE」と呼ばれる VBA の開発環境を起動し
ます。そこで、メニューバーから [挿入]-[標準モジュール] を選択すると、
「Module1」が追加されて、コードを入力できるようになります。そこに、
左ページのコードを次の画面のように入力します。サンプルの「ch05」フォ
ルダー内に VBA コードのテキストファイルがあるので、その中身を貼り付
けても大丈夫です。

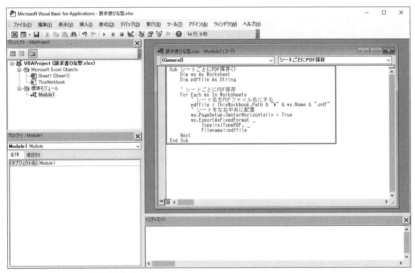

図 VBEにコードを入力する

次に VBE のメニューバーから、[ファイル]-[請求書ひな型.xlsx の上書
き保存] を選択すると、次のような画面が表示されるので、[いいえ] をク
リックします。

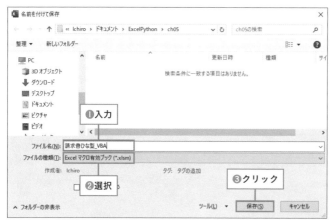

図　このダイアログボックスでは必ず［いいえ］をクリックする。［はい］をクリックすると、入力したコードが保存されないので注意しましょう

　すると、［名前を付けて保存］の画面が表示されるので、［ファイル名］に「請求書ひな型_VBA」と入力し、**【ファイルの種類】で「Excel マクロ有効ブック」を選択**して、［保存］をクリックします。これで、PDF 保存のマクロを追加したひな型の「請求書ひな型_VBA.xlsm」が作成できました。VBEと Excel は閉じてください。

図　［ファイルの種類］で「Excelマクロ有効ブック」を選択して保存する

　あとは、このマクロを有効にした請求書ひな型を使用するように Pythonのコードを改良します。変更するのは次の 2 行です。

```
┃ xl_invoice_create_vba.py

     # xl_invoice_create.pyの以下の2行を変更する
     ...
     # 請求書のブック、シート
  13 wb_inv = openpyxl.load_workbook("請求書ひな型_VBA.xlsm",
     keep_vba=True)

     ...
```

VBAのコードを保持する ┃ ひな型のブックを変更

```
     # 別ブック(xlsm)で保存
  70 wb_inv.save("請求書_202007_VBA.xlsm")
```

拡張子に注意

openpyxl.load_workbook() は、「普通のブック」と同様に、拡張子が xlsm の「マクロ有効ブック」も読み込めますが、**VBA のコードを保持するには keep_vba=True を設定**します。この設定を忘れると、ブックをsave() で保存したときに、VBA のコードは一緒に保存されません。

最後に、作成した請求書のブックを別名で保存します。このとき、**拡張子を xlsm** にした「請求書_202007_VBA.xlsm」をファイル名に指定します。

改良した Python のコードを実行すると、「請求書_202007_VBA.xlsm」が作成されます。このブックはマクロが有効になっているので、開くと次のように [セキュリティの警告] が表示されます。[コンテンツの有効化] をクリックしてマクロを有効にします。

図 ［コンテンツの有効化］をクリックしてマクロを有効にする

5

帳票作成をPythonでおこなう

○マクロを実行する

では、このマクロを実行して PDF を作成してみましょう。Excel の［表示］タブにある［マクロ］をクリックすると、次のような［マクロ］ダイアログボックスが表示されます。［マクロ名］から［シートごとに PDF 保存］を選択して、［実行］をクリックします。

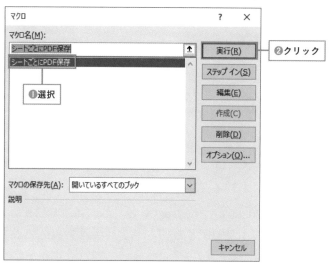

図　［シートごとにPDF保存］を選択して、［実行］をクリックする

マクロの実行が完了すると、次のように「顧客 ID」をファイル名に持つ請求書の PDF が保存されるのを確認できます。

図　顧客ごとの請求書がPDFとして保存された

5-5 業務全体ではExcelと良いとこ取りを目指す

○ 作業はPythonで俯瞰できるようにする

本章では最初にフロー図で「作業工程を見える化」してから、その工程をそのまま Python でコード化しました。「作業工程」と「Python のコード」は互いに対応しているので、**Python のコードを読めば作業工程が確認できる**ようになっています。つまり、Python のコード自体が「作業指示書」そのものです。しかも、そのまま実行すれば、自動で作業してくれます。

このように Python で業務を自動化するときには、**作業指示書を Python という言語で記述するイメージ**を持つと着手しやすくなります。なかなかプログラミングできない場合は、作業工程のフローが「具体的な手順」になっていない可能性があります。その場合には、実際の作業手順をもう一度見直してみてください。そして、うまくプログラムが書けたときには、Python のコードで作業を俯瞰できるようになっているはずです。

○ 見た目はExcelでこだわる

会計に関する帳票だけでなく、グラフを併記した社内の会議資料など、**レイアウトを伴うアウトプット**は、Excel で作成するのがおすすめです。Excel であれば、視覚的に確認しながら作成できるので、見た目にこだわれます。

「Python + openpyxl」でも Excel のスタイルを設定できますが、ブックに保存してから見た目を確認するので、コードで細部まで調整するのは結構な手間を要します。

> **Python** のコードで 1 つのセルを、太字、フォント変更、中央揃えにし、下に罫線を描くだけでもこれだけ必要。全部のセルを指定することを考えると …

```python
cell = ws.cell(2, 8) # スタイルを変更したいセル
cell.font = Font(bold=True, size=16)
cell.alignment = Alignment(horizontal="center")
cell.border = Border(bottom=Side(style="thin",
color="FF000000"))
```

　今回の請求書の例のように、そのまま提出できるレイアウトを「ひな型」として作成しておき、Python はデータの転記だけに使えば、レイアウトの変更に容易に対応できます。帳票とデータは分離しておき、別々に管理できるようにしておくのが効率化のための原則です。

◎ 印刷やPDF保存はVBAで自動化する

　本章では、PDF を保存するのに「VBA」を使用しましたが、Python から Excel を操作して PDF を保存する方法もあります。それには、VBA で利用したのと同じ「`ExportAsFixedFormat`」メソッドを、Python から呼び出し可能にするツールを使います。

　このツールの利用は、自分だけが使うプログラムならば便利な面もありますが、職場のメンバーも使うには VBA のほうが簡単でスムーズに実行できます。さらに、VBA ならば、ネットでそのまま使える情報がすぐに見つかりますが、このツールを使う方法は VBA と比べると情報が少なく、その点で苦労することがあります。

　シートのコピーやセルへの値入力などの「Excel ファイルの操作」は、openpyxl を使えば Python で簡単におこなえます。しかし、印刷や PDF 保存のような**「Excel が持つアプリケーション機能（出力など）を操作する」のなら、やはり VBA を使うのが得策です。**

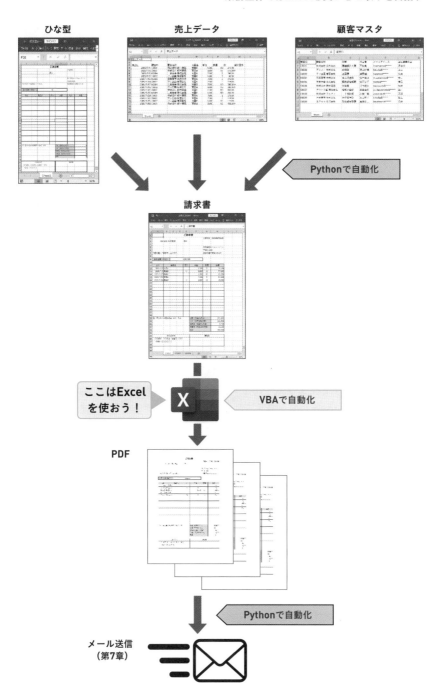

図　Excelに任せるところはVBAで自動化！

また、外部モジュールを用いて PDF 自体を Python で作成する方法もあります。その場合、今回のような「ひな型」は必要なくなります。しかし、Python で文字や罫線をすべて「座標で」レイアウトするので、かなりの手間になります。サーバーで帳票を作成するような場合は適していますが、目の前のパソコンで Excel が使えるなら、本章のようにひな型を用いたほうがラクです。

　Excel は非常に強力で完成度の高いアプリケーションです。その能力を使える環境では、思う存分に使ったほうが仕事がはかどります。すべてを Python でおこなおうとするよりも、どうやって Excel とうまく協業させるかを考えるほうが仕事には効果的です。

••• column •••

業務におけるベストプラクティスとは

　ビジネスにおいて「ベストプラクティス (Best Practice)」という言葉が使われることがあります。ある結果を得るのにもっとも効率のよい手法やプロセスのことです。例えば、システム会社の営業なら、「御社にとってベストプラクティスとなる会計システムを提案いたします」のように使われます。

　ここまで見てきたように Python は業務を自動化する上で強力な手段ですが、何でも Python に置き換えることがベストプラクティスになるとは限りません。社内に Excel のエキスパートが多く、既存の Excel の資産を有効に活用して、うまくいっているケースもあります。そのような場合は、本書の方法で既存の Excel ファイルを Python で連携させることに限定し、うまくいっている部分はそのまま残すのがベストプラクティスになる場合もあります。

　さらに、第 7 章や第 8 章のように、いままで Excel でしていなかった分野を Python と協業させることで、「デジタルトランスフォーメーション (DX)」につながることもあります。企業が置かれている環境は一様ではないので、環境に応じて何がベストプラクティスになるかを考えることが重要です。

## 第 6 章

Pythonで
もっと作業を自動化
するには

Pythonの豊富なライブラリを
活用すれば、Excelでの集計や
帳票作成だけでなく、
「仕事全体」の自動化が可能になります。
本章ではどのようにライブラリを
活用したらよいのか、そのコツを説明します。

Pythonの強みは豊富なライブラリ

● ライブラリの活用がDXの入り口に！

　Pythonの強みであり、プログラミングにワクワクを与えてくれるのが、何と言っても**ライブラリの膨大さと多様さ**です。Pythonには「標準ライブラリ」と「外部ライブラリ」があります。

　これまでも、本書ではopenpyxlという便利なモジュールを活用してきました。このモジュールが「本」だとすれば、こうした本が何冊も入っている「本棚」がまさに「ライブラリ」になります。

　次図のように、すぐに取り出せる自宅の蔵書が「標準ライブラリ」であり、本がたくさんある図書館の本棚が「外部ライブラリ」になります。図書館へは実際に行く必要があるのと同じく、外部ライブラリへはインターネットを通じてアクセスしてインストールします。

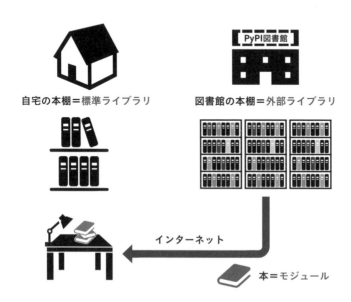

図　標準ライブラリと外部ライブラリ

最初から Python に付属している標準ライブラリだけでも基本的な処理はほとんどカバーできますが、外部ライブラリからモジュールをインストールすれば、さらに多様な機能をプログラムに追加できます。

Python では、本書で学んだ openpyxl のような Excel 関連だけでなく、Word や PowerPoint のファイルを操作できるモジュールもあります。さらに、メール、PDF、Web、データサイエンス、クラウド連携、AI など、実に多種多様なモジュールが用意されています。

現在あらゆる業種で、IT でビジネスを見直す動きが盛んですが、「さまざまなモジュールをライブラリから取捨選択してプログラミングするスキル」は必ずやその一助となるでしょう。つまり、Python でのプログラミングが、「デジタルトランスフォーメーション（DX）」の機会を生むかもしれません。

DX を創出するには、いかに日常業務で IT を駆使し、社内に浸透させるかがカギを握ります。個々のテクノロジーを実際に体験することなく文書だけから学ぶのはかなりの労力を要しますが、Python でプログラミングをすれば、ライブラリの活用を通して自然に IT の見識を深めることができます。すなわち、ライブラリの使い方を学ぶことは、「IT の活用方法」を学ぶことでもあるのです。

こうした学び方は、IT 専門の職種よりも皆さんのようなビジネスパーソンのほうが大きな効果が見込めると、筆者は考えています。なぜなら、自分で作ったプログラムを現場ですぐ活用することこそ最高の学びにほかならないからです。

○ すぐに使える標準ライブラリ

Python に付属している「標準ライブラリ」には、基本的な処理を網羅するように多くのモジュールが揃っています。電池付きの家電のように、インストール後すぐ使い始められるので、Python は「バッテリー同梱（batteries included）のプログラミング言語」とも呼ばれます。

いままで登場したモジュールでは、pathlib（第 2 章）、csv（第 3 章）、datetime（第 4 章）が標準ライブラリに含まれています。標準ライブラリのモジュールは、コード内に `import` 文を記述するだけで使えます。例えば、第 4 章で datetime モジュールを使ったときには、最初に `import datetime` を実行してインポートしました。

代表的な標準ライブラリのモジュールを次ページの表にまとめました。

6

Pythonでもっと作業を自動化するには

オリジナルのプログラムを作るときの参考にしてみてください。

モジュール名	できること
sys	Python 実行環境の情報や操作
os	OS 関連の操作
shutil	ファイルやディレクトリの操作
pathlib	ファイルとディレクトリの操作、パス処理
datetime	日時のデータ型
math	数学関数
random	擬似乱数の生成
zipfile	ZIP ファイルの処理
csv	CSV ファイルの読み書き
urllib.request	Web からのデータ取得
smtplib	メール送信
poplib	メール受信（POP3）
imaplib	メール受信（IMAP）
tkinter	GUI の作成

表　標準ライブラリの代表的なモジュール

　標準ライブラリには、このほかにもまだまだたくさんのモジュールが用
意されています。次の公式ドキュメントをぜひ一度ご覧ください。使ってみ
たいモジュールがあれば、ドキュメントを参考にプログラムを書いてみるの
もよいでしょう。

URL Pythonの標準ライブラリのページ
`https://docs.python.org/ja/3/library/index.html`

214

● 便利な外部ライブラリを活用する

標準ライブラリだけでも幅広い処理ができますが、「外部ライブラリ」を活用すれば、より多彩なファイルを操作できたり、特定の処理をもっと簡単にプログラミングできたり、さらにデータサイエンスやAIのような高度な処理も導入できるようになります。

外部ライブラリは、「サードパーティライブラリ」とも呼ばれます。世界中のPythonプログラマーが個人あるいは企業として作ったモジュールの集合体で、その多くが無償で利用できるオープンソースとしてインターネット上で公開されています。なかでも、一般によく用いられるのが、Pythonコミュニティのために公開されている「**PyPI (Python Package Index)**」です。

URL **PyPI（Python Package Index）のページ**
https://pypi.org/

PyPIには、2020年8月時点で25万以上のプロジェクトが登録されており、いまなお成長し続けています。メジャーなモジュールはここに登録されているので、やりたいことのほとんどはPyPIだけで十分事足ります。本書でも外部ライブラリはPyPIだけを使用しています。

ビジネスの日常的な処理には、次ページの表のようなモジュールがおすすめです。

6

Pythonでもっと作業を自動化するには

モジュール名	できること
openpyxl	Excel ファイルの操作
python-docx	Word ファイルの操作
python-pptx	PowerPoint ファイルの操作
PyPDF2	PDF ファイルの操作
requests	Web からのデータ取得
beautifulsoup4	HTML 構文解析
selenium	Web ブラウザの自動操作
Pillow	画像処理

表　PyPIから入手できるビジネスに便利なモジュール

　PyPI から必要なモジュールをインストールするには、［準備編］で
「openpyxl」をインストールしたときと同様に、`pip install` モジュー
ル名を実行します。例えば、PDF ファイルを操作できる「PyPDF2」をイン
ストールするには、［準備編］のときと同じく `py -m` を前に付けて、コマン
ドプロンプトで次のようにコマンドを実行します。

▌PyPI からのインストール方法（例：PyPDF2 のインストール）

```
C:¥> py -m pip install PyPDF2
```

　あとは、標準ライブラリのモジュールと同様に、コード内で `import` 文
を記述すれば指定したモジュールを使えるようになります。

よく使われているモジュールの探し方

膨大な外部ライブラリの中から、目的の機能を持つモジュールを探すのは大変です。PyPI のトップページには検索ボックスがありますが、ある程度の予備知識がないと検索結果から選ぶことは難しいでしょう。ネットで検索しても同様です。

そんなときには、Python プログラマーがどんなモジュールをいつも利用しているのかが分かると助かります。それをリンク集としてまとめてくれているのが、次の「Awesome Python」というページです。

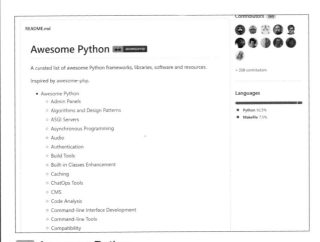

URL Awesome Python

```
https://github.com/vinta/awesome-python
```

GitHub というソースコードをシェアするプラットホームの中で、人気のあるライブラリなどをまとめている Awesome シリーズの 1 つです。よく利用されているモジュールをカテゴリーごとにまとめてくれています。まずこのページでどんなモジュールが使われているかを把握しておくと、ネットで検索するときにも情報を見定めやすくなります。

6

Pythonでもっと作業を自動化するには

217

6-2 Pythonならメールも Webも 自動化できる

● Pythonはネットの活用に向いている

　第5章では、「VBAとPythonは"良いとこ取り"を目指すのが得策」という話をしましたが、メールやWebのように「ネット通信を活用するプログラム」では断然Pythonを使うほうが、簡単にプログラミングできて守備範囲も広いです。これもライブラリが充実しているおかげです。

　そもそもVBAは、正式名称を「Visual Basic for Applications」といい、その名のとおり、Visual Basicというプログラミング言語を、ExcelなどのOffice製品の拡張・カスタマイズに使えるようにしたものです。マイクロソフトのOffice製品なら、ExcelだけでなくWordやPowerPointでも利用できます。さらに、Internet ExplorerであればVBAから操作できるので、第8章でおこなうブラウザの自動操作も可能です。

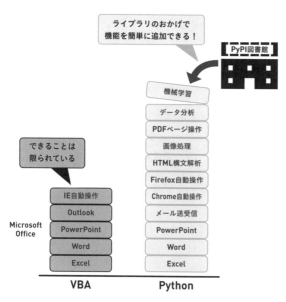

図　VBAとPythonの違いは守備範囲の広さ

これだけ見ると仕事を自動化する上では、VBA は Python と比べても遜色がありません。しかし、VBA でできることは、付随するアプリケーションの機能に左右されます。一方、**Python ならライブラリにモジュールがあれば機能を追加して組み合わせることができます**。

特に Web の情報を活用するには、データをサーバーから取得してくるだけでなく、そのデータを解読するなど、処理すべきことは多岐にわたります。そのため、Web 関連全体のモジュールが豊富にある Python のほうが、臨機応変に対応できるのです。

○ メールもWebもライブラリで簡単に操作できる

Python の標準ライブラリには、「メール」に関するモジュールが一式揃っているので、「送信」と「受信」ともにすぐにプログラミングできます。第7章では、実際にメールを送信するプログラムを作成してみます。メールを送信するための SMTP サーバーと、標準ライブラリを用いて交信します。一方、メールを受信する際には、POP3 サーバーと IMAP サーバーのどちらかを利用しますが、どちらの方法も標準ライブラリに専用のモジュールがあります。

Web ページから情報を自動で取得する「Web スクレイピング」は、Python がよく利用される人気分野です。Web サーバーとの通信から取得したファイルの解読まで、すべてのプロセスのモジュールが揃っているので、Python だけですべての処理を記述できます。

Web ページは、「HTML」と呼ばれる言語で記述されていますが、そこから必要な部分のデータを抽出するには、HTML の構文を解析する必要があります。第8章で利用する「selenium」というモジュールは、Web ブラウザを自動操作するだけでなく、HTML の構文を解析することができます。ほかにも、Python の外部ライブラリには「beautifulsoup4」という非常に優れた HTML 構文解析モジュールがあります。これらを活用することで、簡単に Web ページから必要な情報を抽出することが可能になります。

このように多岐にわたる優れたモジュール群が、Python の利便性を高めています。そして、**さまざまなモジュールをライブラリから探して組み合わせる楽しさ**が、Python プログラミングの醍醐味でもあります。

6

Pythonでもっと作業を自動化するには

Pythonのさらなる得意分野

　Python がこれほどまでに注目されるようになったのは、シンプルで学びやすい、ライブラリが豊富といった特徴以外にも、「AI（人工知能）のスタンダードな言語」としての地位を確立しているためです。現在メジャーな AI のライブラリやフレームワークは、Python で操作するのが主流です。

　例えば、現在の AI で主要な手法の「機械学習」によく用いられる「scikit-learn」や、機械学習の中でも進歩が目覚ましい深層学習（ディープラーニング）の開発ツールとして人気の「TensorFlow」や「PyTorch」などは、すべて「PyPI」で Python の外部ライブラリとして公開されています。つまり、pip でインストールすれば、だれでも Python で AI のプログラミングを始められるのです。

　現時点では、一般のビジネスパーソンが、自分で AI をプログラミングするのは現実的ではないかもしれません。しかし、近い将来 AI がコモディティ化したときには、ビジネスに欠かせないスキルになる可能性があります。そのときは、もっと簡単に使えるツールが開発されているかもしれませんが、Python が使えれば上記のような本格的なライブラリを試すこともできます。

第 **7** 章

Pythonで
複数の人にまとめて
メール送信する

1つひとつ違う添付ファイルを、
相手を間違えないように
メールで送信するのは、かなり大変です。
本章では、
第5章で作成した請求書のPDFファイルを、
顧客にメール送信する作業を
プログラムで自動化します。

7-1 メールサーバーとの交信方法

○ メールはSMTPサーバーから送信する

メールの送信には、「SMTP (Simple Mail Transfer Protocol)」と呼ばれる「**プロトコル**」が使われています。「プロトコル」とは、コンピュータどうしが通信するための手順を厳密に規定したものです。「SMTP」では、「どういう手順でサーバーと交信すれば、メールを送信できるか」を取り決めています。

そして、この SMTP に則ってメールを相手サーバーに配送する役割を担っているのが「**SMTP サーバー**」です。Outlook をはじめとしたメールソフトの設定画面で、皆さんも一度は目にしたことがあるのではないでしょうか。

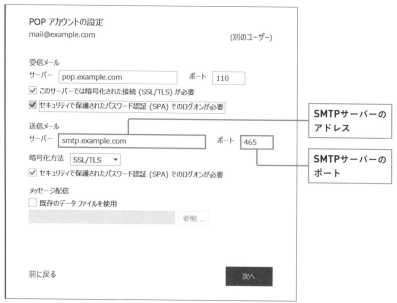

図　Outlookの「その他のメールアカウント」追加画面。[送信メール] を設定するところに「送信（SMTP）サーバー」と「送信サーバーのポート」の入力欄がある。ここにSMTPサーバーの情報を入力する

ほかのメールソフトでも、メールを送信するために、同じように SMTP サーバーの情報を設定します（用語は若干異なる場合があります）。Python でメールを送信するプログラムを作るときも、コード上で SMTP サーバーの情報を設定する必要があります。

○ メール送信に用いるライブラリ

Outlook などのメールアプリからメールを送信するときは、メールアプリが SMTP のプロトコルに従って処理してくれます。Python の場合は、**smtplib モジュール**を利用して同じ処理をプログラミングします。smtplib モジュールは標準ライブラリに含まれているので、インストールしなくても、次のようにインポートするだけで利用できます。

▌smtplib モジュールのインポート

```
import smtplib
```

••• column •••

メールを受信するプロトコル

メールのプロトコルには、ほかにもメールを受信するための「POP (Post Office Protocol)」と「IMAP (Internet Message Access Protocol)」があります。「SMTP」と同様に、最後の文字が「Protocol」の「P」になります。POP はサーバーからメールをダウンロードしてきますが、IMAP はメールをサーバーに残したままコピーを読み取ります。両方とも、第 6 章で説明したとおり「標準ライブラリ」に専用のモジュールがあります。

7

Pythonで複数の人にまとめてメール送信する

● メールサーバーに接続する

SMTP サーバーからメールを送信するには、通常、暗号化通信を開始した状態で認証（ログイン）をおこなう必要があります。具体的には、メールを送信するまでに次の 5 つのタスクを実行します。

1. 「SMTPサーバーのアドレス」と「ポート番号」を指定する
2. 暗号化通信 (STARTTLS) を開始する
3. SMTPサーバーにログインする
4. メッセージを送信する
5. SMTPサーバーとの接続を閉じる

では、この 5 つの手順を Python でプログラミングしてみましょう。最初に、smtplib モジュールをインポートし、smtplib.SMTP() に「SMTPサーバーのアドレス」と「ポート番号」を指定して、その結果を変数 server に代入します。この server にアクセスして、starttls() で暗号化通信開始、login() でユーザー認証、send_message() でメッセージ送信を順に実行して、最後に quit() で接続を閉じます。

▌メール送信の手順

```
import smtplib

# 1) SMTPサーバーの指定
server = smtplib.SMTP(SMTPサーバーのアドレス, ポート番号)
# 2) 暗号化通信の開始
server.starttls()
# 3) SMTPサーバーにログイン
server.login(アカウント, パスワード)
# 4) メッセージ送信(メッセージ msgの作成方法は、次節で説明)
server.send_message(msg)
# 5) SMTPサーバーとの接続を閉じる
server.quit()
```

メッセージを送信するには、**ログインまでが無事に完了している必要が**あります。そこで、SMTP サーバーに Python でログインできるかを、次のコードでテストします。

　今回は、利用者が多い Gmail で SMTP サーバーにログインしてみます。SMTP サーバーのアドレスには「**smtp.gmail.com**」、ポート番号には「**587**」を指定します。ログインのアカウントには「**自分の Gmail アドレス（xxxx@gmail.com）**」、パスワードには「**自分の Gmail パスワード**」を用います。自社などほかの SMTP サーバーを指定してログインする場合は、それぞれ書き換えてください。15 行目の `noop()` は SMTP サーバーが応答しているか確認するための命令です。

mail_login_test.py

```
1   import smtplib
2
3   # SMTPサーバー（今回は Gmailで送信）
4   smtp_server = "smtp.gmail.com"
5   port_number = 587
6
7   # ログイン情報（今回は Gmailのアカウントを入力する）
8   account = "自分のメールのアカウント"        ●── 自分のGmailアドレス
9   password = "自分のメールのパスワード"       ●── 自分のGmailパスワード
10                                                  （次のコラムも参照）
11  # 1）SMTPサーバーの指定
12  server = smtplib.SMTP(smtp_server, port_number)
13
14  # SMTPサーバーの応答確認
15  res_server = server.noop()
16  print(res_server)
17
18  # 2）暗号化通信の開始
19  res_starttls = server.starttls()
20  print(res_starttls)
21
22  # 3）ログイン
23  res_login = server.login(account, password)
24  print(res_login)
25
26  # 5）SMTPサーバーとの接続を閉じる
27  server.quit()
```

7

Python で複数の人にまとめてメール送信する

2段階認証を有効にしている場合のGmailパスワード

Gmail で 2 段階認証プロセスを有効にしている場合は、「Google アカウントのパスワード」ではログインできません。「アプリパスワード」を使用する必要があります。アプリパスワードは、16 桁のパスコードであり、次の Gmail ヘルプの方法で取得できます。セキュリティ重視の観点からは、2 段階認証を設定した上でアプリパスワードを用いることをおすすめします。

図 Googleアカウント管理画面の [セキュリティ] タブからアプリパスワードを作成する。詳細な手順は下記URLを参照

URL https://support.google.com/mail/answer/185833

プログラムを実行して、少し待つと結果が表示されます。SMTP サーバーがすべて正常に応答した場合だけ、次のように先頭の番号の部分が「250」（正常応答）、「220」（準備完了）、「235」（認証成功）の順になります。

SMTP サーバーのアドレスやログイン情報を間違えている場合はエラーになるので、入力した情報を見直してください。なお、番号の後ろのメッセージ部分は、サーバーによって異なることがあります。

実行結果

```
(250, b'2.0.0 OK t9sm686239pjs.16 - gsmtp')
(220, b'2.0.0 Ready to start TLS')
(235, b'2.7.0 Accepted')
```

最初から暗号化通信をおこなう方法もある

　今回は SMTP サーバーを指定してから、そのあとに暗号化通信を
STARTTLS で開始していますが、最初から暗号化通信を指定する方法もあ
ります。その場合は、SMTP サーバーの指定を `smtplib.SMTP_SSL()`
でおこないます。サーバーによっては、STARTTLS 方式を使用しておらず、
最初から暗号化通信を使わないといけない場合もあるので、そのときはこち
らの方法を使います。

　Gmail はどちらの方法でも暗号化通信が可能ですが、最初から暗号化通信
を指定する場合は、次図のように「ポート番号」が「465」になります。また、
`server.starttls()` は必要ありません。この方法を用いる際は、以上
の 2 点に気を付けてください。

図　Gmailヘルプ（https://support.google.com/mail/answer/7126229 ）
より抜粋

　なお、Mac で `smtplib.SMTP_SSL()` を用いて SMTP サーバーにアク
セスするには、SSL 証明書と呼ばれる電子証明書をインストールしておく必
要があります。インストールの方法は、[準備編] の「Mac をお使いの方へ」
をご覧ください。

7

Pythonで複数の人にまとめてメール送信する

メールで送るメッセージを作成する

◎ メッセージの作成方法

メッセージの作成には、「MIMEMultipart」、「MIMEText」、「MIMEApplication」の3つの道具を使います。最初にこれらを使えるようにしておくために、次のようにモジュールをインポートします。これらのモジュールは、標準ライブラリにあるので、インストールする必要はありません。

次の3行を、前節のプログラム1行目の import smtplib の下に追記しておきましょう。

メッセージ作成に必要なモジュールのインポート

```
from email.mime.multipart import MIMEMultipart
from email.mime.text import MIMEText
from email.mime.application import MIMEApplication
```

この3行の下にメッセージを作るコードを記述していきます。

まずは、MIMEMultipart() を実行して、件名やメッセージなどの内容を詰める「入れ物」を準備し、変数 msg に代入しておきます。その中に、「件名」、「自分のメールアドレス」、「相手のメールアドレス」を、msg["Subject"]、msg["From"]、msg["To"] に代入して登録します。

本文は、MIMEText() のかっこの中に「テキスト」を入れてメール用のデータを作り、attach() でメッセージ（変数 msg）に追加します。

最後にファイルを添付します。まず、MIMEApplication() のかっこの中に「PDF のデータ」を入れ、添付用のデータを作成します。このデータに add_header() で「ヘッダー」を付加し、ファイルを識別できるようにしたら、attach() でメッセージ（変数 msg）に添付します。

メッセージの作成方法

```
# メッセージの準備
msg = MIMEMultipart()
```

```
# 件名、メールアドレス
msg["Subject"] = "件名"
msg["From"] = "自分のメールアドレス(送信元)"
msg["To"] = "相手のメールアドレス(送信先)"

# メール本文(後ほど説明)
body = MIMEText(本文のテキスト)
msg.attach(body) ●──────── メッセージに本文を追加

# 添付ファイル(後ほど説明)
attach_file = MIMEApplication(PDFファイルから読み込んだデータ)
attach_file.add_header("Content-Disposition","attachment",
filename="PDFファイル名")
msg.attach(attach_file) ●──────── メッセージに添付ファイルを追加
```

このように作成したメッセージ(変数 msg)を、前節で説明した `server.send_message(msg)` により送信します。

••• column •••

送信の控えをとっておく方法

Outlook などのメールソフトから送信すると「送信済み」フォルダーに追加されますが、今回のように Python のプログラムから送信した場合は控えは残りません。

そこで、今回は設定していませんが、「BCC」を送信することで、送信の控えにすることができます。その場合は、メッセージを作成するときに、次のように msg["Bcc"] にアドレスを追加します。社内共有のアドレスなどに送信すると、お互いにチェックもできるので便利です。

▌**BCC のメールアドレスを設定する**

```
msg["Bcc"] = "控え用のメールアドレス"
```

◎ メール本文をファイルから読み込む

メールの本文は、別ファイルの「mail_body.txt」に準備しておき、そこからテキストを読み込んでメールメッセージに追加します。

なお、今回は次ページのメール本文の内容をメモ帳やテキストエディタで作成し、「文字コード」を「UTF-8」で保存したものを使用します。

テキストファイルの文字コードをUTF-8に設定する

　テキストファイルの文字コードは、メモ帳の保存ダイアログボックスの[文字コード]で指定できます。Windows 10 May 2019 Update(バージョン1909)以降のメモ帳なら、初期設定の文字コードがUTF-8に設定されているので、いつもどおりテキストを書いて保存するだけでも大丈夫です。

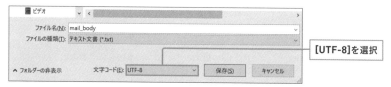

図　保存ダイアログボックスの[文字コード]で、[UTF-8]を選択する

　Macの場合は、テキストエディットで[フォーマット]-[標準テキストにする]を選択するとテキストファイルを作成できます。保存するときは、文字コードを意味する「エンコーディング」を「Unicode (UTF-8)」にしてください。

　このすぐあとに説明しますが、{company}のように「波かっこ」で囲んだ部分は、プログラムで実際の会社名などに置き換えるために埋め込んであります。今回は、会社名、部署名、担当者名のそれぞれの部分に、{company}、{department}、{person}を埋め込んでおきます。

■ メール本文 (mail_body.txt)

```
 1  {company} {department}
 2  {person} 様
 3
 4  いつも大変お世話になっております。
 5  株式会社エクセルパイソンの田中です。
 6
 7  7月分のご請求書をPDFファイルにて、
 8  本メールに添付させていただきました。
 9  何卒ご査収のほどお願い申し上げます。
10
11  ご不明な点等がございましたら、
12  お問い合わせいただけたら幸いです。
13
```

```
14   今後とも宜しくお願い申し上げます。
15
16   ********************
17   株式会社エクセルパイソン
18   営業本部　田中一郎
19
20   TEL. 00-0000-0000
21   FAX. 00-0000-0000
22   ********************
```

format()で波かっこを別の文字列に置き換える

メール本文のうち、波かっこで囲んだ部分を会社名などに置き換えるには、format()を利用します。

まず簡単な例をIDLEの対話モードで試してみましょう。次の{day}と{tenki}のように、文字列の中に{キーワード}を埋め込んでおきます。キーワードには分かりやすい適当な名前を付けます。この文字列にドットでつなげてformat()を実行しますが、そのときにかっこの中にキーワード=値を指定します。

すると{キーワード}の部分を値で置き換えてくれます。ここでは、day="今日"とtenki="晴れ"を指定しているので、文字列の中の{day}が"今日"、{tenki}が"晴れ"に置き換えられます。

format() で波かっこを別の文字列に置き換える

```
>>> text = "{day}の天気は、{tenki}です。"
>>> text.format(day="今日", tenki="晴れ")
'今日の天気は、晴れです。'
```

今回のメール本文のテキストには、{company}、{department}、{person}の3つの{キーワード}を埋め込んでいるので、次のコードのように、format()のかっこの中にcompany="株式会社鈴木商店", department="調達部第1課", person="平松真一"を入れて実際の名称に置き換えてみます。Pythonはコードのかっこ内の改行は無視してくれるので、適当な位置で改行すると見やすくなります。

メール本文のテキストファイルを読み込むには、第3章のCSVファイル

のときと同じく、まず open() で開きます。CSV ファイルは csv モジュールを用いて読み込みましたが、ここでは read() でファイルの中の全文を読み込みます。読み込んだ内容を body_temp に代入したら、ファイルを close() で閉じます。

read_mail_body.py

```
1   # メール本文をファイルから読み込む
2   f = open("mail_body.txt", encoding="utf-8")
3   body_temp = f.read()         ファイルの全文を読み込む
4   f.close()
5
6   # メール本文の波かっこの部分を置き換える
7   body_text = body_temp.format(
8       company="株式会社鈴木商店 ",
9       department="調達部第 1 課 ",
10      person="平松真一 "
11  )
12
13  print(body_text)
```

　実行すると、次のように宛名が先頭に記入されたメール本文が表示されるのを確認できます。

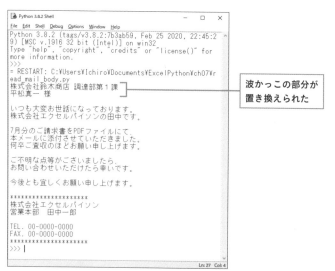

波かっこの部分が置き換えられた

図　メール本文の先頭に宛名が付け加えられた

232

メール本文をメッセージデータに追加する

ここまでに組み立てたメール本文を、`MIMEText()` のかっこの中に入れて、メール本文用のデータにして `body` に代入します。次のように、それをメッセージ(変数 `msg`)に `attach()` で追加します。

▌メッセージデータにメール本文を追加する

```
body = MIMEText(body_text)
msg.attach(body)
```

● メールにPDFファイルを添付する

メールにファイルを添付するには、「バイナリ」という形式でファイルを読み取り、そのデータをメッセージに追加します。「バイナリ(binary)」とは、コンピュータが直接処理できる形式のデータであり、人が読める「テキスト」とは異なる形式です。

バイナリ形式でファイルを読み込むには、次のように `open()` のかっこの中で「`mode="rb"`」を指定します。`rb` は「read binary」の意味です。テキストのように文字コードを指定する必要はありません。`read()` でファイルの中の全データを読み込み、`pdf_data` に代入して、ファイルを `close()` で閉じます。

▌PDF ファイルのデータ読み込み方法

```
pdf = open(PDFファイルのパス , mode="rb")
pdf_data = pdf.read() ●──────── ファイルの全データを読み込む
pdf.close()
```

ファイルから読み込んだデータは、`MIMEApplication()` のかっこの中に入れて、添付ファイルを作成します。そこに、受信した側が添付ファイルであることが分かるように、`add_header()` で「ヘッダー」という情報を加えます。次のように、ヘッダー `Content-Disposition` の値を、添付ファイルを表す `attachment` にして、さらに `filename="PDF ファイル名 "` により受信側で保存するときのデフォルトのファイル名を指定します。メッセージに添付するには、メール本文と同様に `attach()` を用います。

メッセージデータに PDF ファイルを添付する

```
# データから添付ファイルを作成
attach_file = MIMEApplication(pdf_data)
# ヘッダーの付加
attach_file.add_header("Content-Disposition","attachment",
filename="PDFファイル名 ")
# 添付ファイルの添付
msg.attach(attach_file)
```

••• column •••

テキスト形式とバイナリ形式

コンピュータが扱うデータのうち人間が読んで理解できるものをテキスト
形式、それ以外をバイナリ形式と呼びます。PDF 以外にも、画像や音声な
どはバイナリ形式で書き込まれています。

　これでメール送信の方法をひととおり学習できましたので、**「自分宛て」**
にテスト送信してみましょう。添付する PDF ファイルは、第 5 章で作成し
た請求書の「C0001.pdf」を使用します。プログラムファイルと同じフォル
ダーに入れておいてください。プログラムは、次のようにこれまでの内容を
組み合わせているだけです。ここでは先に「メッセージを作成」しておいて、
最後に「SMTP サーバーに接続」してメッセージをメール送信しています。

mail_send_test.py

```
 1  import smtplib
 2  from email.mime.multipart import MIMEMultipart
 3  from email.mime.text import MIMEText
 4  from email.mime.application import MIMEApplication
 5
 6  # 自分のメールアドレス
 7  my_address = "自分のメールアドレス "    ← 下線部を書き換え
 8
 9  # SMTPサーバー（今回は Gmailで送信）
10  smtp_server = "smtp.gmail.com"
11  port_number = 587
12
13  # ログイン情報（今回は Gmailのアカウントを入力する）
```

```python
14  account = "自分のメールのアカウント"
15  password = "自分のメールのパスワード"        ← 下線部を書き換え
16
17  # メッセージの準備
18  msg = MIMEMultipart()
19
20  # 件名、メールアドレスの設定
21  msg["Subject"] = "ご請求書送付のご案内[株式会社エクセルパイソン]"
22  msg["From"] = my_address
23  msg["To"] = my_address        ← 自分宛てに設定
24
25  # メール本文の追加
26  text = open("mail_body.txt", encoding="utf-8")
27  body_temp = text.read()
28  text.close()
29  body_text = body_temp.format(
30      company="株式会社鈴木商店",
31      department="調達部第1課",
32      person="平松真一"
33  )
34  body = MIMEText(body_text)
35  msg.attach(body)
36                       ← プログラムと同じフォルダーに入れておく
37  # 添付ファイルの追加
38  pdf = open("C0001.pdf", mode="rb")
39  pdf_data = pdf.read()
40  pdf.close()
41  attach_file = MIMEApplication(pdf_data)
42  attach_file.add_header("Content-Disposition","attachment",filename="C0001.pdf")
43  msg.attach(attach_file)
44
45  # SMTPサーバーに接続
46  server = smtplib.SMTP(smtp_server, port_number)
47  server.starttls()
48  server.login(account, password)
49
50  # メール送信
51  server.send_message(msg)
52
53  # SMTPサーバーとの接続を閉じる
54  server.quit()
```

コードの my_address、account、password を、自分のメールアドレスやログイン情報に書き換えて実行すると、次のように自分宛てにメールが届いているのが確認できます。なお、SMTP サーバーに接続してログインするまでに、数秒かかることがありますので、メール送信されるまでしばらく待つようにしてください。

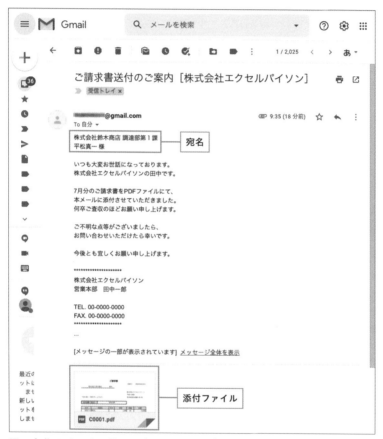

図　自分のメールアドレス宛てにメールが届いているか確認してみよう

7-3 メールを自動送信する

● メールを送信するフローを見える化する

前節までで、メールのメッセージを作り、送信する基本的なプログラムができました。本節では、複数のメールをまとめて送信するためにプログラムを仕上げていきましょう。

まずはフォルダー構成を準備するところから始めます。第5章で作成した請求書のPDFファイルを、次のように「請求書PDF_202007」フォルダーに保存しておき、該当する顧客にメールで送信するプログラム（mail_invoice_sender.py）を作成します。

メール本文に使用する文章は、テキストファイル（mail_body.txt）に保存しておき、顧客の名前やメールアドレスはExcelファイル（顧客マスタ.xlsx）から参照します。これらのファイルもプログラムと同じフォルダーに配置しておきます。

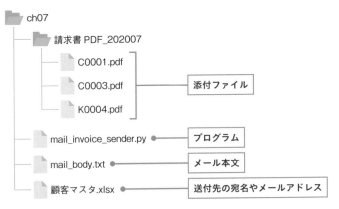

図 プログラムフォルダーの構成

第5章のときと同じく、まず手順を「見える化」してみます。今回のメール送信の工程は、次のようにまとめることができます。

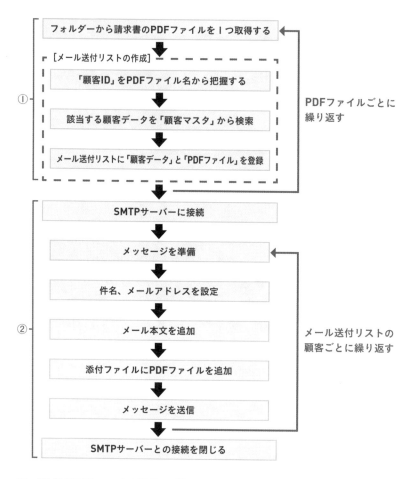

フォルダーから請求書のPDFファイルを1つ取得する

［メール送付リストの作成］

「顧客ID」をPDFファイル名から把握する

該当する顧客データを「顧客マスタ」から検索

メール送付リストに「顧客データ」と「PDFファイル」を登録

① PDFファイルごとに
繰り返す

SMTPサーバーに接続

メッセージを準備

件名、メールアドレスを設定

メール本文を追加

添付ファイルにPDFファイルを追加

メッセージを送信

SMTPサーバーとの接続を閉じる

② メール送付リストの
顧客ごとに繰り返す

図　請求書PDFファイル送信の手順

　この図から、工程は大きく2つに分類できることが分かります。まずは、「①メール送付リストを作成」して、そのリストの顧客に「②メールを一斉に送信」します。

　「①メール送付リストを作成」するには、「請求書PDF_202007」フォルダーにあるPDFファイルを1つずつ取り出して、送信先となる顧客のデータと一緒にリストに登録します。

　PDFのファイル名は「顧客ID.pdf」になっているので、その顧客IDを用いて「顧客マスタ」から送信先の「顧客データ」を検索し、「PDFファイル」のパスと一緒にメール送付リストに登録しておきます。

　「②メールを一斉に送信」するには、最初に「SMTPサーバー」に接続し、

すべてのメールを送信してから、最後にサーバーとの接続を閉じます。

メールを送信するには、「メール送付リスト」に登録しておいたデータを1件ずつ取り出して、顧客ごとにメッセージデータを作成します。メッセージデータには、まず件名とメールアドレスを設定し、本文を追加して、請求書のPDFファイルを添付ファイルとして加えて送信します。

方針が固まったところで、この2つの工程をプログラミングしていきましょう。

● メール送付リストの作成

メール送付リストは、次のように [顧客データ ，請求書 PDF ファイルのパス] を要素に持つリストにしておきます。このようにリストを作成すれば、顧客データの中のメールアドレスに、PDFファイルを添付してメール送信すればよいので、一斉に送信する処理を作りやすくなります。

▌ メール送付リストの構成

```
mailing_list = [
    [[顧客ID,顧客名 ,部署名 ,担当者名 ,メールアドレス ,..],
     請求書 PDFファイルのパス ],
    [[顧客ID,顧客名 ,部署名 ,担当者名 ,メールアドレス ,..],
     請求書 PDFファイルのパス ],
    ...
]
```

顧客データ

メール送付リストの作成までをおこなう「プログラムの前半」を作成します。

最初に、このプログラムに必要なモジュールをすべてインポートしておきます。Excel ファイルの読み込みに必要な openpyxl、フォルダー内のファイル検索に用いる Path、SMTP サーバーと交信する smtplib、メッセージを作成するための MIMEMultipart、本文を作成する MIMEText、添付ファイルを作成する MIMEApplication です。sys モジュールは後ほど説明しますが、プログラムを中止する `sys.exit()` を呼び出すために必要になります。

次に、メール送付リストの作成を始める前に、「顧客マスタ」を読み込んでおきます。p.156 の「顧客マスタを Python に取り込む」と同じコードで、`customer_list` に顧客マスタの全データを追加します。

フォルダーから PDF ファイルを1つずつ取得するには、p.119 の「複数のブックをシート名ごとにまとめる」でも使った、pathlib モジュールの

「Path」を利用します。今回はPDFファイルが対象なので、glob()のかっこの中には「*.pdf」を指定して、拡張子が「.pdf」のファイルを検索します。

　取得したPDFファイルを送信する顧客は、ファイル名が「顧客ID.pdf」になっているのでこの顧客IDを見れば分かります。拡張子を除いた「顧客ID」の部分は、p.143の「CSVファイルをExcelブックに変換する」で用いた.stemで取得できます。この顧客IDに該当する顧客を「顧客マスタ」から検索します。

　検索した顧客のデータは、送付する請求書のPDFファイルのパスと一緒に、メール送付リストに追加します。同時に、これから送付する顧客とPDFファイルが確認できるように、print()で表示します。

■ mail_invoice_sender.py（前半）

```python
 1  import sys
 2  import openpyxl
 3  from pathlib import Path
 4  import smtplib
 5  from email.mime.multipart import MIMEMultipart
 6  from email.mime.text import MIMEText
 7  from email.mime.application import MIMEApplication
 8
 9  # 顧客マスタの読み込み
10  wb_master = openpyxl.load_workbook("顧客マスタ.xlsx")
11  ws_master = wb_master["Sheet1"]
12
13  customer_list = []
14  for row in ws_master.iter_rows(min_row=2):
15      if row[0].value is None:
16          break
17      value_list = []
18      for c in row:
19          value_list.append(c.value)
20      customer_list.append(value_list)
21
22  # 請求書PDFのフォルダー
23  pdf_dir = "請求書PDF_202007"
24
25  # メール送付リスト
26  mailing_list = []
27
```

```
28    # フォルダーから請求書の PDF ファイルを 1 つずつ取得する
29    for invoice in Path(pdf_dir).glob("*.pdf"):
30        # 「顧客 ID」は、PDF ファイルの拡張子を除いた部分
31        customer_id = invoice.stem
32        # 該当する顧客データを「顧客マスタ」から検索
33        for customer in customer_list:
34            if customer_id == customer[0]:
35                # メール送付リストに「顧客データ」と
36                # 「PDFファイル」のパスを追加
37                mailing_list.append([customer, invoice])
38                # 顧客 ID、顧客名、メールアドレス、
39                # PDF ファイルのパスを表示
40                print(customer[0], customer[1], customer[4],
      invoice)
```

顧客データ

PDFファイルのパス

ここまでのプログラムを実行すると、次のようにメール送付リストに登録したデータを確認できます。

実行結果

```
C0001  株式会社 鈴木商店 hiramatsu@*****  請求書 PDF_202007¥C0001.pdf
C0003  サン企画 有限会社 kusano@*****  請求書 PDF_202007¥C0003.pdf
K0004  三和商事 株式会社 m.sakamoto@*****  請求書 PDF_202007¥K0004.pdf
```

● メールを一斉に送信する

メールの送信ミス、しかも請求書のような書類を誤って送信してしまうと、重大な問題につながりかねません。メールを一斉に送信する前にテストをおこない、正しくプログラムが動作しているかどうか確認できると、ミスの防止に役立ちます。そこで、このプログラムに「テストモード」を追加しましょう。変数 test_mode が True の場合は、**「自分のメールアドレス」宛てに送信**するようにします。

テストモードの切り替えは、p.198 のコラムで説明した input() を用いて、画面からおこないます。具体的には、テストモードでは「test」、本番モードでは「real」と入力してもらうようにします。本番モードの「real」以外が入力された場合はテストモードにします。

次に、送信を開始する前に、どちらのモードが設定されているかを明示し

て、送信しても大丈夫かを確認します。`input()` を用いて、続行して送信する場合は「yes」、中止する場合は「no」を入力してもらいます。入力した値が、続行の「yes」以外の場合は、`sys.exit()` でプログラムを中止します。

　プログラムを続行する場合は、メッセージの送信に備えて、メール本文を「mail_body.txt」から読み込んでおきます。

■ mail_invoice_sender.py（後半その1）

```
41
42  # モード選択
43  print() # 1行空ける
44  mode = input("モード選択(テスト= test、本番 =real): ")
45  # 本番以外はテスト
46  if mode != "real":
47      test_mode = True
48  else:
49      test_mode = False
50
51  # 送信確認
52  if test_mode:
53      result = input("テストモードで自分宛てに送信します(続行=
    yes、中止= no): ")
54  else:
55      result = input("本番モードで送信します(続行＝yes、中止＝no):")
56
57  # 続行以外は中止
58  if result != "yes":
59      print("プログラムを中止します ")
60      sys.exit()
61
62  # メール本文をファイルから読み込んでおく
63  text = open("mail_body.txt", encoding="utf-8")
64  body_temp = text.read()
65  text.close()
```

print()だけ実行すると画面に1行空く

　プログラムを実行すると、次のように画面でモードを選択できます。ここでは、送信するかどうかの確認で「no」を入力して、プログラムを中止しています。

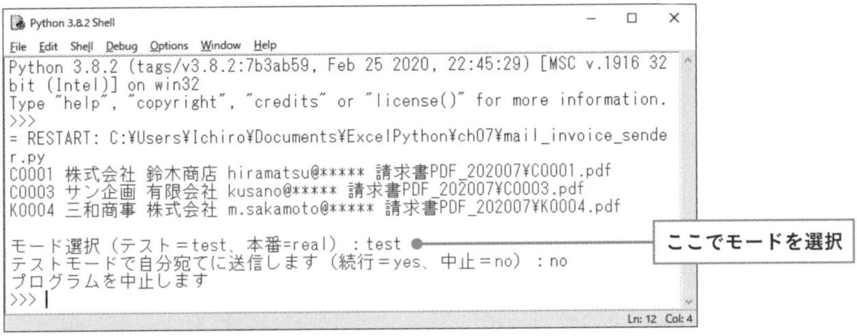

図　テストモードを選択した場合

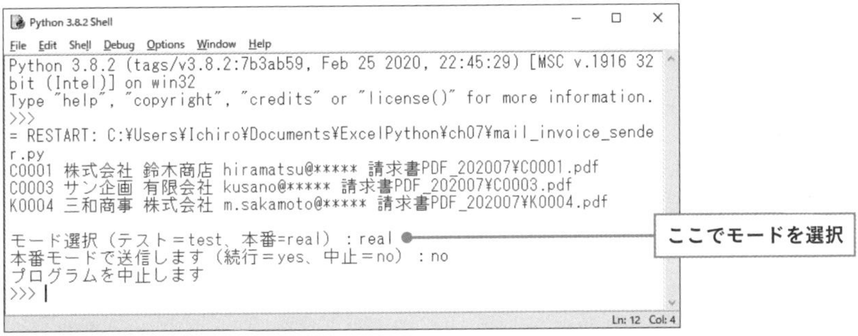

図　本番モードを選択した場合

メールの送信に先立ち、「自分のメールアドレス」、「SMTP サーバー」、「ログイン情報」を変数に代入しておきます。このように、メール送信に用いる固有のデータは、プログラムの中で近い場所にまとめておくと、確認や変更がしやすくなります。SMTP サーバーには、今回は Gmail を利用する場合を想定して、Gmail のサーバーを設定しています。ここまでできたら、SMTP サーバーに接続します。

mail_invoice_sender.py（後半その2）

```
66
67  my_address = "自分のメールアドレス"        ← 下線部を書き換え
68
69  # SMTPサーバー（今回は Gmailで送信）
70  smtp_server = "smtp.gmail.com"
71  port_number = 587
72
73  # ログイン情報（今回は Gmailのアカウントを入力する）
74  account = "自分のメールのアカウント"
75  password = "自分のメールのパスワード"        ← 下線部を書き換え
```

7

Pythonで複数の人にまとめてメール送信する

```
76
77  # SMTPサーバーに接続
78  server = smtplib.SMTP(smtp_server, port_number)
79  server.starttls()
80  server.login(account, password)
```

　SMTP サーバーに接続したら、メール送付リスト(変数 mailing_list)の顧客への送信を始めます。メール送付リストの 1 件分のデータは [顧客データ, 請求書 PDF ファイルのパス] のようなリストになっています。そこで、メール送付リストをループして 1 つひとつの要素を変数 data に代入し、インデックスを用いて data[0] で「顧客データ」、data[1] で「請求書 PDF ファイルのパス」を取得します(83 ～ 85 行目)。

　この「顧客データ」から顧客のメールアドレスを取得して、件名や自分のアドレスと一緒にメッセージに設定します。さらに、会社名や担当者名も取得して、メール本文に format() で埋め込みます。

　添付ファイルのデータは、「請求書 PDF ファイルのパス」にある PDF ファイルからバイナリで読み取ります。ここで、ヘッダーに付加するファイル名には、パスに .name を付けて取得した「フォルダーを除いたファイル名」を指定しています(110 行目)。

　メール本文と添付ファイルの追加が完了したら、メッセージを send_message() で送信します。送信中は進捗が分かるように、print() で送信している「顧客 ID」と「会社名」を表示します(114 行目)。

　メール送付リストのすべての顧客に送信を完了したら、最後に SMTP サーバーとの接続を閉じます。

mail_invoice_sender.py（後半その 3）

```
81
82  # メール送付リストの顧客に 1 つずつメール送信
83  for data in mailing_list:
84      customer = data[0] ●──────  顧客データ
85      pdf_file = data[1] ●──────
86                                   請求書 PDF ファイルのパス
87      # メッセージの準備
88      msg = MIMEMultipart()
```

```
89      # 件名、メールアドレスの設定
90      msg["Subject"] = "ご請求書送付のご案内[株式会社エクセルパイ
    ソン] "
91      msg["From"] = my_address
92      if test_mode:
93          msg["To"] = my_address
94      else:
95          msg["To"] = customer[4]  ●──[顧客のメールアドレス]
96
97      # メール本文の追加
98      body_text = body_temp.format(
99          company=customer[1],  ●──[会社名]
100         department=customer[2],  ●──[部署名]
101         person=customer[3]  ●──[担当者名]
102     )
103     body = MIMEText(body_text)
104     msg.attach(body)
105     # 添付ファイルの追加
106     pdf = open(pdf_file, mode="rb")
107     pdf_data = pdf.read()
108     pdf.close()
109     attach_file = MIMEApplication(pdf_data)
110     attach_file.add_header("Content-Disposition",
    "attachment",filename=pdf_file.name)
111     msg.attach(attach_file)
                            ●──[パスからファイル名
                                だけ取得]
112
113     # メール送信
114     print("メール送信:", customer[0], customer[1])
115     server.send_message(msg)
                            │            └──[会社名]
116                         └──[顧客ID]
117  # SMTPサーバーとの接続を閉じる
118  server.quit()
```

プログラムを実行して、テストモードを選択して自分宛てに送信してみ
ます。ここで、SMTP サーバーに接続してログインするまでに、数秒かかる
ことがありますので、**メール送信が始まるまでしばらく待つ**ようにしてく
ださい。すべて送信を完了すると、次のような画面になります。

7

Pythonで複数の人にまとめてメール送信する

図 テストモードで送信した画面

　自分のメールアドレスの受信トレイを確認すると、次のようにメールが届いています。

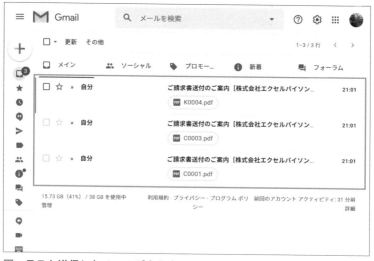

図 テスト送信したメールが自分宛てに届いている

　どれか1つのメールの中身を開くと、次ページの図のように本文に宛名が明記されていて、請求書のPDFファイルが添付されていることを確認できます。

　なお、サンプルの「顧客マスタ.xlsx」には、`hiramatsu@*****`のように無効なメールアドレスを入力してあるので、このまま本番モードで送信しようとするとエラーになります。

また、Mac では `msg=MIMEMultipart()` でメッセージのデータを作成する際に `policy` という設定をしておかないと、本番モードでエラーになることがあります。詳しくは［準備編］の［Mac をお使いの方へ］を参照してください。

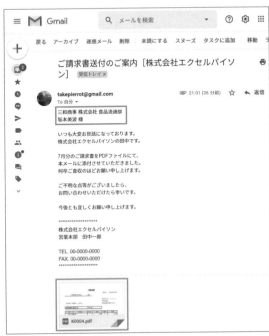

ご請求書送付のご案内［株式会社エクセルパイソン］

図　メールを開くと、プログラムどおりに宛名や添付ファイルが設定されている

● Pythonで自動送信するときに注意すること

メールの送信を自動化するときに、特に気を付けなければならないことは、「送信ミス」と「迷惑メールに間違われること」です。Python でプログラミングするときも、この 2 つを未然に防ぐための対策を考えます。

「送信ミス」を防ぐために有効なのが、「テスト」と「一時停止」です。今回のプログラムのようにテストモードを実装して、まず**自分のアドレス宛てにテストで送信**して、本文と添付ファイルの内容を確認できるようにします。

テストで内容を確認するだけでなく、「本当に一斉送信を開始しても大丈夫か」**一時停止して確認するステップも実装**します。`input()` を実行するとユーザーの入力を待機するので、プログラムを一時停止できます。今回の

プログラムでも、「続行 or 中止」を選択するステップを挿入することで、不注意での送信に気付きやすくしています。

さらに、送信中は進捗が分かるように、送信している相手を print() で随時表示します。送信中にミスに気付いた場合は、⎡Ctrl⎤ **キーを押しながら** ⎡C⎤ **キーを押す**ことで強制終了できます。

2つ目の「迷惑メールに間違われること」も十分に気を付ける必要があります。受信した相手に迷惑メールと誤解されてしまうと業務に支障が生じます。そのためには、迷惑メールと疑われる行為がないかチェックして、判明した場合はすぐに措置します。

すぐにチェックできるのが、**「存在しないメールアドレスに送付していないか」**です。プログラムで自動化するのは便利ですが、存在しないメールアドレスに毎回送り続けてしまう可能性があります。そのような行為はサーバーに迷惑メールと疑われてしまうので、すぐにメールアドレスのリストを修正します。

••• column •••

テストの重要性

プログラムは必ず「テスト」で確認してから実際に利用します。プログラミングにおける「テスト」とは、本来とても奥深い分野です。本格的なシステムでは、コードを変更しても結果に影響がないかをすぐにチェックできるように、テストは自動化されています。そのために、機能やプロセスごとに分けて、テスト専用のコードを準備しておきます。

一方、本書のようなシンプルなプログラムでは、**確認すべき箇所はとにかく出力してチェック**します。出力する方法は、「画面表示（print()）」と「ファイル書き込み」が一般的ですが、今回の「自分宛てへのメール送信」もその1つです。

そして、うまくいったときの出力データは、入力データとセットで保存しておくようにします。例えば、ある計算をおこなうプログラムに、もっとほかの数値も計算できる機能を加えたとします。そのときに、今まで正しく計算されていた数値まで変わってしまうと困ります。そのようなときに、以前うまくいっていたときの「データ(問題)」と「出力(答え)」のセットがあれば、従来の部分に影響がないかをチェックしながらプログラミングできます。

テストは面倒な作業ですが、ここで労力を惜しまないことで、あとからの手戻りを防げます。

## 第 8 章

Pythonで
Webから情報を
収集する

本章では、Chromeブラウザを
Pythonで自動操作することで、
Excelと連携してインターネットから
情報収集するプログラムを作成します。
ブラウザの自動操作には
「Selenium」というツールを
利用します。
Seleniumの使い方や
Webページの仕組みなど、
必要な基礎知識についても
説明します。

Seleniumの
インストール

◉ ブラウザを操作するツール「Selenium」

「誰か代わりに、この繰り返しのブラウザ操作をしてくれたら」——それをかなえてくれるのが「**Selenium**」というツールです。Selenium を使えば、まるで人が操作しているかのように Web ブラウザを自動操作できます。Web ページを開く、履歴を戻る、リンクをクリック、テキストボックスに文字を入力、ボタンをクリックなどの操作が Python のコードから可能になります。そして、Web ページの内容を読み取る機能も充実しています。

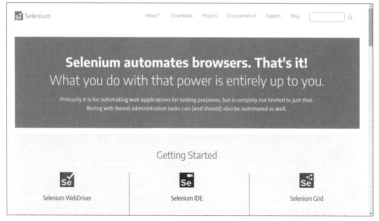

URL **Selenium公式サイト**
https://www.selenium.dev/

Selenium は、Web アプリの開発過程でテストによく利用されています。Web アプリの開発現場では、ブラウザを実際に操作して確認するテストが不可欠です。テストでチェックすべき事項は多岐にわたる上、いろいろな環境で実施する必要があります。そうしたテストを手動で何度もおこなうのは現実的ではありません。そのため、通常は Selenium のようなツールを用いて、テストは自動化しておこないます。

Selenium と WebDriver

Selenium はオープンソースの開発プロジェクトで、世界中の開発者によりさまざまなツールが提供されています。そのうち現在よく用いられているツールには「WebDriver」「IDE」「Grid」などがあります。

なかでも「**WebDriver**」は、**プログラミング言語のコードからブラウザを操作できる**機能を提供し、Web アプリのテストだけでなく、ブラウザを使った定型処理や情報収集の自動化などに幅広く利用されています。操作を記述できるプログラミング言語も、Python だけでなく、Java や Ruby などさまざまな言語に対応しています。本書では「WebDriver」を Python で利用して、ブラウザの操作と情報収集を自動化します。なお、以後単にWebDriver と呼んだ場合は、この「Selenium WebDriver」のことを指します。

また、「**IDE**」はブラウザの操作を記録・再生できる Chrome・Firefox の拡張機能（アドオン）です。記録した操作を Python のコードに書き出すことができるので、WebDriver でプログラミングするときの参考にできます。検索ボックスへの入力やクリックなどの「ブラウザ操作」をプログラミングするときに便利なので、後ほど使い方を紹介します。

● ブラウザの自動操作に必要なもの

WebDriver は、Chrome、Edge、Firefox などのブラウザごとに専用のものが提供されています。本書では、「Chrome ブラウザ」を操作するので、「**Chrome ブラウザ用の WebDriver**」を準備します。

Python のコードで、WebDriver を用いたプログラムを作成するには、「**selenium モジュール**」が必要です。selenium モジュールは、openpyxl モジュールと同様に、外部ライブラリの PyPI から「**pip install**」でインストールします。インストールがまだの方は、[準備編] を参考にインストールしておいてください。

PythonでChromeを自動操作するのに準備するもの

1. Chromeブラウザ用のWebDriver（次項の方法でダウンロード）
2. seleniumモジュール（[準備編] でインストール）

なお、パソコンにはあらかじめ「Chrome ブラウザ」がインストールされ
ているものとします。

◎ Chrome用のWebDriverのダウンロード

1）Chromeブラウザのバージョン確認

「Chrome 用の WebDriver」は、「Chrome ブラウザ」のバージョンごとに
提供されています。パソコンの Chrome ブラウザのバージョンに対応して
いない WebDriver は使用できないので、ダウンロードする前に、**Chrome
ブラウザのバージョンを確認**しておきます。

Chrome ブラウザのバージョンは、アドレスバーに「chrome://settings/
help」と入力すると次図のように表示されます。バージョン番号は、「メ
ジャー . マイナー . ビルド . パッチ」の４つで構成されているので、先頭の
「メジャーバージョン」を確認しておきます。例えば、「93.0.4577.82」と表
示されている場合、「93」を Chrome ブラウザのバージョンとして控えてお
きます。

図　Chromeブラウザのバージョン確認

2）Chrome用のWebDriverのダウンロード

Chrome 用の WebDriver は、次の Web ページからダウンロードします。

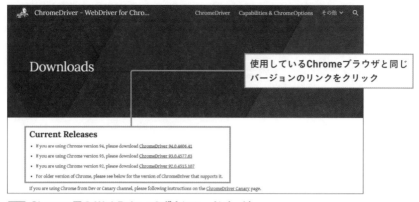

URL **Chrome用のWebDriverのダウンロードページ**
https://sites.google.com/chromium.org/driver/downloads

　このページの「Current Releases」の部分には、WebDriverのダウンロードリンクが並んでいます。先ほど確認したChromeブラウザのバージョンは「93」なので、今回は「Chrome version 93」の箇所にあるリンクをクリックします。

　すると、クリックしたバージョンのダウンロードページが次のように開きます。WebDriverはOSごとに提供されているので、今回はWindows版の「chromedriver_win32.zip」をクリックして、ダウンロードします（Macで使用する場合は「chromedriver_mac64.zip」または「chromedriver_mac64_m1.zip」をダウンロードします）。

Index of /93.0.4577.63/

	Name	Last modified	Size	ETag
	Parent Directory		-	
	chromedriver_linux64.zip	2021-09-09 09:53:46	5.86MB	e34c494daba1adeef875a95c718bfbda
	chromedriver_mac64.zip	2021-09-09 09:53:48	7.80MB	800bde9407ec1b5baf7ed17ff081b05b
	chromedriver_mac64_m1.zip	2021-09-09 09:53:50	7.15MB	baf6620642e58ffc39e783f15fdd5aa1
	chromedriver_win32.zip	2021-09-09 09:53:52	5.72MB	1d57b9dadeafbda128960cf440fea258
	notes.txt	2021-09-09 09:53:57	0.00MB	866d1068c51984e9599f3ca0cd21bb29

図　**Chrome用のWebDriverのダウンロードページ（バージョンごとのページ）**

　ダウンロードしたZIP形式のファイルを展開（解凍）すると、次のようにWebDriverのファイル（chromedriver.exe）が1つだけ入っています（次図の例では、エクスプローラーで［表示］の［ファイル名拡張子］をオンにしています）。このファイルを、後ほど説明するPythonのコードで使用します。

PythonでWebから情報を収集する

図 圧縮ファイルを展開すると、WebDriverのファイル（chromedriver.exe）が
　　入手できる

　通常 Chrome ブラウザは自動更新されますので、その度に WebDriver も
新しいバージョンをダウンロードして差し替える必要があります。少し面倒
ですが、**バージョンが整合しないと不具合が生じる**ので気を付けてください。

　なお、このファイルは、バージョンが変わってもファイル名は「chrome
driver.exe」のままです。使用中のバージョンが分からなくなった場合は、
「chromedriver.exe」をダブルクリックしてみてください。次のような画面
が起動するので、そこに表示されるバージョン番号で確認できます。確認し
たら右上の［×］をクリックしてこの画面は閉じてください。

```
C:\Users\Ichiro\Documents\ExcelPython\ch08\driver\chromedriver.exe        －    □    ×
Starting ChromeDriver 93.0.4577.63 (ff5c0da2ec0adeaed5550e6c7e9841
7dac77d98a-refs/branch-heads/4577@[#1135]) on port 9515
Only local connections are allowed.
Please see https://chromedriver.chromium.org/security-consideratio
ns for suggestions on keeping ChromeDriver safe.
ChromeDriver was started successfully.
```

図 「chromedriver.exe」をダブルクリックすると、コマンドプロンプトが表示
　　され、WebDriverのバージョンを確認できる

　Mac 用の WebDriver の場合は、ダウンロードした ZIP ファイルを展開す
ると「chromedriver」という拡張子がないファイルが 1 つだけ入っています。
このファイルを Windows 版の「chromedriver.exe」と同様に使用します。

　この「chromedriver」をダブルクリックすると同じようにバージョンを確
認できますが、「開発元を確認できないので chromedriver が開けない」とい

う内容のダイアログが表示されて起動できないことがあります。そのとき
は、［準備編］の「Macをお使いの方へ」を参考にchromedriverの起動を許
可してから再度実行してください。

••• column •••

ほかのブラウザ用のWebDriverをダウンロードするには

今回はChrome用をダウンロードしましたが、ほかのブラウザのWeb
Driverもきちんと用意されています。Edge、Firefox、SafariのWeb
Driverのダウンロードページは、次の「PyPI」のSeleniumモジュールの
ページに記載されています。

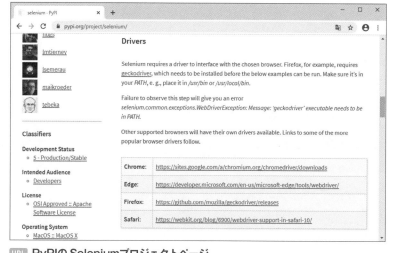

`URL` **PyPIのSeleniumプロジェクトページ**
https://pypi.org/project/selenium/

8-2 ブラウザを 操作してみる

⊙ WebDriverをフォルダーにコピーしておく

　これで必要な道具が揃いました。実際にブラウザを操作してみましょう。まず、WebDriver を分かりやすい場所にコピーします。次のように Python のプログラムと同じフォルダーに「driver」というフォルダーを作成して、その中に先ほどダウンロードした「chromedriver.exe」をコピーしておきます。

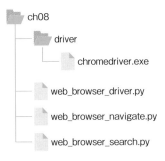

```
ch08
├── driver
│   └── chromedriver.exe
├── web_browser_driver.py
├── web_browser_navigate.py
└── web_browser_search.py
```

図　プログラムフォルダーの構成

⊙ ブラウザを起動してみる

　Python でブラウザを操作するには、最初に selenium モジュールから webdriver をインポートしておきます。次に、「chromedriver.exe がある場所」を指定して、webdriver.Chrome() を実行し driver に代入します。この driver が「chromedriver.exe」への指示を中継する役割を担うので、以降は driver にアクセスして Chrome ブラウザを操作します。ブラウザの操作が終了したら最後に driver.quit() で終了してブラウザを閉じます。

　次のコードはブラウザを起動して、閉じるだけですが、無事に動作するか確認してみましょう。すぐに閉じないように、起動してから閉じるまで「5秒」待機します。そのために、標準ライブラリの「time モジュール」をインポートし、time.sleep(5) を実行します。

```
web_browser_driver.py
1  from selenium import webdriver
2  import time
3
4  # chromedriver.exeがある場所
5  driver_path = "driver/chromedriver.exe"
6
7  # webdriverの作成
8  driver = webdriver.Chrome(executable_path=driver_path)
9
10 # 5秒待つ
11 time.sleep(5)
12
13 # webdriverの終了（ブラウザを閉じる）
14 driver.quit()
```

WebDriverの場所

Selenium WebDriver でブラウザを開くと、次のようにまずコマンドプロンプトが表示されます。

図 プログラムを実行すると、コマンドプロンプトが表示される

続いてすぐに Chrome ブラウザが起動します。次のように「Chrome は自動テストソフトウェアによって制御されています。」と、WebDriver によりコントロールされていることが表記されます。

図 コマンドプロンプトが表示された後、Chromeが起動する

そのまま5秒待機すると、ブラウザは自動で閉じます。ここで、コマンドプロンプトに Bluetooth などのアダプターに関するエラーが表示されることがありますが、本書でプログラミングする操作には問題ありません。

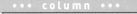

ファイアウォールが表示されたら

また、初回の起動時に、次のようにファイアウォールによりブロックされて警告が表示されることがあります。その場合は、プライベートネットワークの中だけでアクセスを許可してください。この警告は、WebDriver とPython が通信でやり取りしているために、セキュリティ対策ソフトが検知して表示されています。

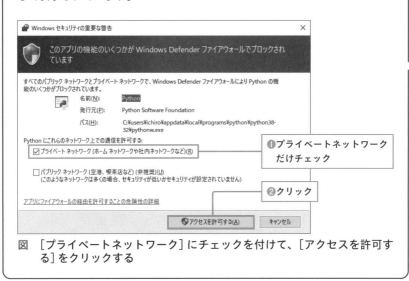

図　[プライベートネットワーク]にチェックを付けて、[アクセスを許可する]をクリックする

Mac の場合は、「chromedriver.exe」を Mac 用の「chromedriver」に書き換えるだけで同様にプログラミングできます。ただし、初回の起動時には、Windows と異なり、「開発元が検証できないので chromedriver が開けない」という内容のダイアログが表示されてプログラムを実行できないことがあります。そのときには、[準備編]の「Mac をお使いの方へ」を参考にchromedriver の起動を許可してからプログラムを実行してください。

○Webページを表示する

Web ページを開いたり、新しいページに移動、履歴の戻る・進むといった「ページ遷移(ナビゲーション)」をおこなうには、次表のコードを実行します。

コード	機能
driver.get(Web ページの URL)	Web ページを開く
driver.back()	履歴を 1 つ戻る
driver.forward()	履歴を 1 つ進む
driver.refresh()	ページを更新する
driver.quit()	ブラウザを閉じる

表　ブラウザの基本操作

コード	機能
driver.current_url	URL を取得
driver.title	タイトルを取得

表　現在のページ情報の取得

　例として、「www.google.co.jp」「www.yahoo.co.jp」「www.python.org」の 3 つの Web ページを順に開いて移動して、それから履歴を 1 つずつ遡って、最後に「www.google.co.jp」に戻るプログラムを作成してみます。

　プログラムは次のように、driver.get() でページを順に開き、driver.back() で 1 つずつ戻ります。各ページに遷移したら、driver.title と driver.current_url で現在のページの「タイトル」と「URL」を print() で表示します。それぞれのページ遷移の間には、time.sleep(2) により 2 秒間待機します。

web_browser_navigate.py

```
 1  from selenium import webdriver
 2  import time
 3  # chromedriver.exeがある場所
 4  driver_path = "driver/chromedriver.exe"
 5  # WebDriverの作成
 6  driver = webdriver.Chrome(executable_path=driver_path)
 7
 8  # www.google.co.jpを開く
 9  driver.get("https://www.google.co.jp")
10  print(driver.title, driver.current_url)
11  time.sleep(2)
```

8

Python で Web から情報を収集する

```
12
13  # www.yahoo.co.jpを開く
14  driver.get("https://www.yahoo.co.jp")
15  print(driver.title, driver.current_url)
16  time.sleep(2)
17
18  # www.python.orgを開く
19  driver.get("https://www.python.org")
20  print(driver.title, driver.current_url)
21  time.sleep(2)
22
23  # www.yahoo.co.jpに戻る
24  driver.back()
25  print(driver.title, driver.current_url)
26  time.sleep(2)
27
28  # www.google.co.jpに戻る
29  driver.back()
30  print(driver.title, driver.current_url)
31  time.sleep(2)
32
33  # webdriverの終了(ブラウザを閉じる)
34  driver.quit()
```

　実行すると Chrome ブラウザが起動し、「www.google.co.jp」▶「www.yahoo.co.jp」▶「www.python.org」▶「www.yahoo.co.jp」▶「www.google.co.jp」の順にページが遷移して、最後にブラウザが閉じる動作を確認できます。

○ テキスト入力、キー入力、クリックを操作する

　Web ページはテキストボックス、リンク、ボタン、パラグラフ (段落) など、さまざまな「要素」が組み合わさって構築されています。この要素に対して、ユーザーはクリックなどの「動作 (アクション)」をおこない、Web ページを操作します。

　テキストボックスに「テキストを入力する」には、入力したい要素に対して send_keys(" テキスト ") を実行します。これで、検索ボックスやログインフォームにユーザーが入力する動作を再現できます。すでに入力されているテキストをクリアしたいときは clear() を実行します。

▌テキストを入力・クリアする

```
# テキスト入力
要素.send_keys("テキスト")

# テキストクリア
要素.clear()
```

テキストの入力後に Enter キーを入力したい場合は、次のように selenium.webdriver.common.keys から Keys をインポートしておき、Keys.ENTER を send_keys() でキー送信します。ほかにも、Keys.SHIFT、Keys.DELETE、Keys.CONTROL などの特殊キーを送信することができます。

▌Enter キーを送信する

```
from selenium.webdriver.common.keys import Keys

# Enterキーの入力
要素.send_keys(Keys.ENTER)
```

テキストと特殊キーは、「+」で一緒に入力することができます。"テキスト" + Keys.ENTER とすれば、テキストを入力した後に Enter キーを押すことができます。Keys.SHIFT + "python" では、Shift キーを押しながら "python" を入力することになるので、大文字の PYTHON をテキストボックスに入力できます。

▌キーの組み合わせを入力する

```
# テキスト入力 + Enterキー
要素.send_keys("テキスト" + Keys.ENTER)

# Shiftキーを押しながらテキスト入力(大文字入力)
要素.send_keys(Keys.SHIFT + "python")
```

ボタンやリンクをクリックするには、その要素に対して click() を実行します。

8

Python で Web から情報を収集する

▌ボタンやリンクをクリックする

```
# クリック
要素.click()
```

　これらの機能を組み合わせて実際にプログラミングしてみましょう。今回はGoogleの検索ページで、「札幌の降水確率のグラフ」を表示するまでの動作をプログラミングします。

　今回の動作は、まず「Googleの検索ボックス」に、「札幌天気」と入力して検索をおこないます。

図　Googleの検索ボックスに入力

　次に、表示された検索結果のページの天気予報のグラフにある［降水確率］ボタンをクリックして、グラフの表示を切り替えます。

図　［降水確率］ボタンをクリック

　プログラムは、次のようにGoogleの「検索ボックス」の要素に対して
send_keys(" 札幌天気 " ＋ Keys.ENTER) を実行してGoogle検索を

おこない、検索結果のページを表示させます（19行目）。そこで、［降水確率］ボタンの要素を `click()` でクリックします（22行目）。

Webページから要素を特定するには、`driver.find_element()` で表示中のWebページから検索します（後ほど詳しく説明します）。「検索ボックス」の要素は、`driver.find_element(By.NAME, "q")` により、［降水確率］ボタンの要素は、`driver.find_element(By.ID, "wob_rain")` により取得できます。

また、13行目の `driver.implicitly_wait(10)` では、条件に合う要素がすぐに見つからなかった場合の待ち時間を「10秒」に設定しています。インターネット上には要素をあとから読み込むWebページもあるので、見つからなかった場合の待ち時間を設定しておきます。

web_browser_search.py

```python
1  from selenium import webdriver
2  from selenium.webdriver.common.by import By
3  from selenium.webdriver.common.keys import Keys
4  import time
5
6  # chromedriver.exeがある場所
7  driver_path = "driver/chromedriver.exe"
8
9  # webdriverの作成
10 driver = webdriver.Chrome(executable_path=driver_path)
11
12 # 要素が見つからない場合は10秒待つように設定
13 driver.implicitly_wait(10)
14
15 # www.google.co.jpを開く
16 driver.get("https://www.google.co.jp")
17
18 # 検索ボックスに「札幌天気」を入力して、Enterキーを押す
19 driver.find_element(By.NAME, "q").send_keys("札幌天気 " +
   Keys.ENTER)
20                          └── 検索ボックスの要素
21 # ［降水確率］のボタンをクリック
22 driver.find_element(By.ID, "wob_rain").click()
23                          └── ［降水確率］ボタンの要素
24 # 5秒待つ
25 time.sleep(5)
```

```
26
27  # ブラウザを閉じる
28  driver.quit()
```

　プログラムを実行すると、計画したとおりに、Google の検索ページで「札幌の降水確率のグラフ」が表示されるのを確認できます。そして、そのまま5秒待つとブラウザは閉じられます。

　なお、プログラムの実行方法は、IDLE の Editor ウィンドウから F5 キーを押す（[Run]‐[Run Module] を選択）でも大丈夫ですが、何度も同じプログラムを試してみたい場合は、エクスプローラーで「Python のプログラムファイル」をダブルクリックするほうが簡単です。

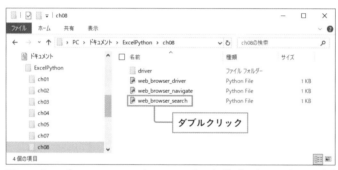

図　エクスプローラーでPythonファイルをダブルクリックして実行

```
•••  column  •••
```

ブラウザでできることはコードにできる

　ブラウザで操作していることは基本的に、WebDriver があればコードで自動化できます。本章のゴールは、Web からの情報収集を自動化することですが、もっとさまざまな作業にも活用できます。

　例えば、会社のシステムが、顧客データを登録するのにブラウザ使用していたとします。Web ページのフォームへは、今回の「検索ボックス」と同じく send_keys() でテキスト入力できるので、「Excel の顧客一覧表」から読み取って1件ずつ登録を繰り返せば、顧客データの登録自動化も Python で可能になります。ブラウザでできることは、近年とても多くなっているので、さまざまな場面で活用が考えられます。

8-3 Selenium IDE で ブラウザ操作を記録

● マクロの記録と同じようなことができる

　Excel でマクロを記録すると、Excel はその操作を VBA で記述して保存します。だから、Excel VBA の書き方が分からないときは、操作をマクロに記録してみて、保存された VBA コードを参考にすることができます。

　「Selenium IDE」を使うと「ブラウザの操作」でも同じことができます。つまり、**ブラウザの操作を記録して、Python のコードに書き起こすことができます**。マクロの記録と同様に、そのコードをそのまま使うというよりは、プログラミングの参考として重宝します。

　今回は、前節と同じ、Google で「札幌天気」を検索して、結果のページで[降水確率]ボタンをクリックする操作を Selenium IDE で記録してみます。そして、前節で作成したコードと比較して、どのように参考にできるのかを見てみましょう。

●●● column ●●●

Excelのマクロの記録とは

　Excel の操作は「マクロ」に記録できます（マクロの記録は Excel の[開発]タブと[表示]タブの両方にあります）。[表示]タブの[マクロ]の下にある[∨]をクリックし、[マクロの記録]をクリックするとダイアログが開きます。マクロ名を入力して[OK]をクリックすると、以降の操作した内容が記録されます。記録を中断するには、再度同じメニューを開き、[記録終了]をクリックします。

　記録したマクロは VBA で記述されており、このコードは、「VBE（Visual Basic Editor）」と呼ばれる VBA の開発環境で確認できます。マクロを記録したあとに Alt + F11 キーを押して VBE を起動して、そこの[標準モジュール]フォルダーにある「Module」で始まるファイルをダブルクリックして中を確認してみましょう。「Sub　マクロ名 ()」のように Sub に続いて記録したマクロ名で始まるコードがあれば、そこが記録したマクロの部分になります。

8

PythonでWebから情報を収集する

265

◎Selenium IDEのインストール

　Selenium IDE は、Chrome と Firefox の拡張機能（アドオン）として提供されています。今回は Chrome ブラウザを使用しているので、Chrome ウェブストアから「Selenium IDE」を検索して、次のような画面で［Chrome に追加］をクリックしてインストールします。

図　Chromeウェブストア（https://chrome.google.com/webstore）から「Selenium IDE」をインストールする

◎ブラウザ操作を記録する

　インストールすると、次のように Chrome ブラウザの右上の［拡張機能］から［Selenium IDE］をクリックして起動できます。

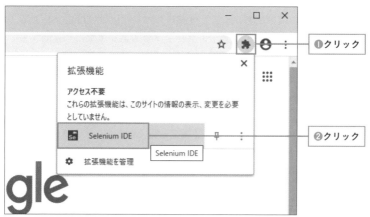

図　ブラウザの右上の［拡張機能］から［Selenium IDE］をクリックする

　Selenium IDE を起動すると、最初に次の画面が表示されるので、[Record a new test in a new project] をクリックします。

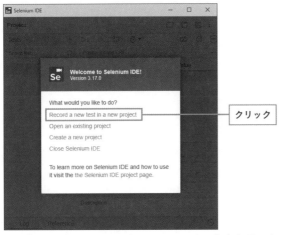

図　[Record a new test in a new project] をクリックする

　次に「プロジェクト名」を入力する画面が表示されるので、適当な名前を入力して (例えば「google-search」など)、[OK] をクリックします。すると、「起点にする Web ページの URL」を入力する画面が表示されます。今回は「https://www.google.co.jp」を入力して、[START RECODING] をクリックして記録を開始します。

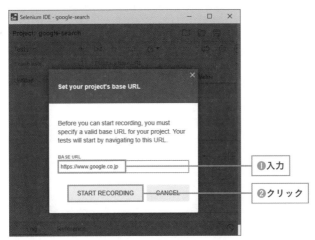

図　「起点にするWebページのURL」を入力し、[START RECODING] をクリックする

すると次のように、新しい Chrome のウィンドウが現れ、記録中である
ことを表す「Selenium IDE is recording...」が表示されます。

図　ブラウザ操作の記録が始まった

　この状態で、前節と同じ操作を記録してみましょう。①検索ボックスに
「札幌天気」を入力して、②[Enter]キーを押し、③ページが遷移したら［降
水確率］ボタンをクリック……の３つの操作をおこないます。

　ブラウザでの操作を終えたら、別ウィンドウで開いている Selenium IDE
の画面の［録画中止（Stop recording）］ボタンをクリックして録画を終了し
ます。

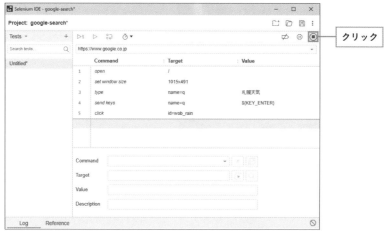

図　［録画中止（Stop recording）］をクリックする

するとテスト名を入力する画面が表示されるので、「sapporo-tenki」など適当な名前を入力して［OK］をクリックします。

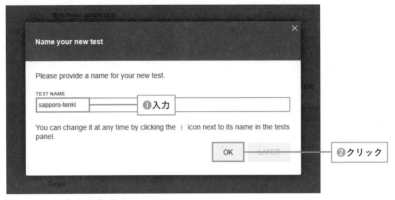

図　テスト名を入力する

これで先ほどの一連の操作が、テストとして登録されました。次のように Selenium IDE 画面の左側に入力したテスト名が登録されているのを確認できます。

今回はこのまま次の Python コードの書き出しに進みますが、この状態で［再生ボタン (Run current test)］をクリックすると、記録した操作を再生できます。また、［保存ボタン (Save project)］で記録した操作を保存できます。

図　テストの登録完了

◉Pythonのコードに書き出す

記録した操作をPythonのコードに書き出します。Selenium IDE画面の
サイドバーのテスト名を右クリックして［Export］をクリックします。

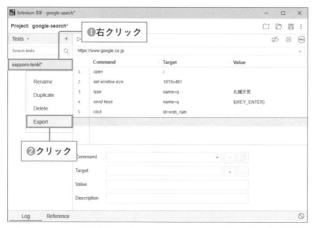

図　テスト名を右クリックして、［Export］をクリックする

テストを書き出すプログラミング言語を選択する画面が表示されるので、
［Python pytest］を選択して［EXPORT］をクリックしましょう。

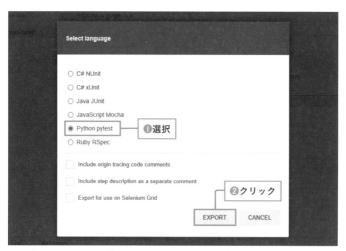

図　［Python pytest］を選択して［EXPORT］をクリックする

適当な名前を付けて保存し、IDLEのEditorウィンドウで開いてみましょ
う。次のようなPythonのコードが書き込まれているはずです。本書では学習

していない「クラス (class)」が使用されているので、見慣れないコードと思う
かもしれませんが、send_keys() と click() を実行している部分に着目
してください。

Selenium IDE で書き出した Python のコード

```
1   # Generated by Selenium IDE
2   import pytest
3   import time
4   import json
5   from selenium import webdriver
6   from selenium.webdriver.common.by import By
7   from selenium.webdriver.common.action_chains import
    ActionChains
8   from selenium.webdriver.support import expected_
    conditions
9   from selenium.webdriver.support.wait import
    WebDriverWait
10  from selenium.webdriver.common.keys import Keys
11  from selenium.webdriver.common.desired_capabilities
    import DesiredCapabilities
12
13  class TestSearch():
14    def setup_method(self, method):
15      self.driver = webdriver.Chrome()
16      self.vars = {}
17
18    def teardown_method(self, method):
19      self.driver.quit()
20
21    def test_search(self):
22      self.driver.get("https://www.google.com/")
23      self.driver.set_window_size(1280, 680)
24      self.driver.find_element(By.NAME, "q").send_keys("
    札幌天気")
25      self.driver.find_element(By.NAME, "q").send_
    keys(Keys.ENTER)
26      self.driver.find_element(By.ID, "wob_rain").click()
```

次のように、send_keys() と click() を実行している部分は、前節の
「web_browser_search.py」とほとんど同じコードになっています。「 Enter
キーの入力」を別の行に分けている違いはありますが、Selenium IDE が生
成したコードを参考にできることが分かります。

▌前節の「web_browser_search.py」の動作を実行する箇所

```
...
driver.find_element(By.NAME, "q").send_keys("札幌天気 " +
Keys.ENTER)
driver.find_element(By.ID, "wob_rain").click()
...
```

▌Selenium IDE で Export したコードの一部

```
...
def test_sapporotenki(self):
    ...
    self.driver.find_element(By.NAME, "q").send_keys("札幌天気 ")
    self.driver.find_element(By.NAME, "q").send_keys(Keys.ENTER)
    self.driver.find_element(By.ID, "wob_rain").click()
```

　このように、Selenium IDE を用いれば、ブラウザ操作を Python のコードに書き起こすことができるので、適宜コードを利用したり参考にしたりすることができます。

••• column •••

RPAとの違い

　「RPA」を操作したことがある方は、Selenium と似ていると思われたかもしれません。しかし、この2つは自動化できる対象の範囲が異なります。

　一般的な RPA は「カーソルの位置」や「ボタンの画像」に対して入力やクリックを記録します。そのため、ブラウザに限らずどのようなソフトの操作でも記録可能です。

　一方、Selenium は、Web ページの中身を解読して、その中の「要素」に対して入力やクリックを記録します。そのため、ブラウザ上の操作しか記録できませんが、Web ページならば中身を解読しているので、自在に情報を取り出せる利点があります。また、オープンソースなので有償版 RPA のようなコストの負担がありません。

　近年「RPA」を採用する企業が増えていますが、Web ブラウザに限定した操作であれば、本書で紹介している方法でコストをかけずに自動化を試してみるのも1つの方法です。

Webページから
情報を読み取る

◉ ページから特定の情報を読み取る機能を作る

前節までで、任意の Web ページを表示できるようになりました。また、要素の指定方法はまだ説明していませんが、ボタンをクリックして Web ページの一部の表示を切り替えることもできました。

本節では、「表示したページの内容を読み取る方法」を説明します。読書に例えれば、前節までがページをめくる「手」で、本節は文字を読む「目」にあたる機能です。

◉ WebページはHTMLで書かれている

Web ブラウザは、「HTML」という言語で書かれた Web ページを読み込んで表示します。HTML は「HyperText Markup Language」の略で、< と >で囲まれた「タグ」を用いて内容を組み立てる「マークアップ言語（Markup Language）」の１つです。

HTML は Python と同じくテキストで記述するので、メモ帳やテキストエディタで作成できます。.html や .htm の拡張子で「HTML ファイル」として保存すれば、ブラウザで Web ページとして開くことができます。

実際に簡単な Web ページを作成してみましょう。次の HTML のコードをメモ帳やテキストエディタに入力し、ファイル名を「sample.html」で保存します。保存の際には、［ファイルの種類］は［すべてのファイル］、［文字コード］は［UTF-8］に設定してください。なお、入力するのが大変は場合は、本書のサンプルファイルに収録されているものを使用できます。

sample.html

```
1  <!DOCTYPE html>
2  <html>
3  <head>
4      <meta charset="UTF-8">
```

```
5      <title>サンプルWebページ</title>
6    </head>
7    <body>
8      <div class="contents-title">
9          <h1>Excel+Pythonで仕事自動化</h1>
10     </div>
11     <div class="contents-body">
12         <h2>リンク集</h2>
13         <div id="python">
14             <h3>Python公式ページ</h3>
15             <ul>
16                 <li><a href="https://www.python.org/
       downloads/">Pythonダウンロード</a></li>
17                 <li><a href="https://docs.python.org/
       ja/3/using/index.html">Pythonのセットアップと利用</a></li>
18                 <li><a href="https://docs.python.org/
       ja/3/tutorial/">Pythonチュートリアル</a></li>
19             </ul>
20         </div>
21         <div id="library">
22             <h3>外部ライブラリ(PyPI)</h3>
23             <p>「pip install」でインストールできるモジュール。</
       p>
24             <ul>
25                 <li><a href="https://pypi.org/project/
       openpyxl/">openpyxl</a></li>
26                 <li><a href="https://pypi.org/project/
       selenium/">selenium</a></li>
27             </ul>
28         </div>
29     </div>
30   </body>
31   </html>
```

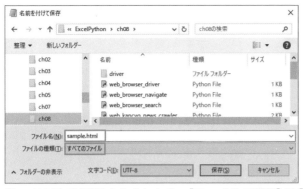

図　メモ帳でHTMLを入力したら、[ファイルの種類]は[すべてのファイル]、[文字コード]は[UTF-8]に設定して保存する

　このHTMLファイルをChromeブラウザで開くと、次のようなWebページが確認できます。Chromeブラウザの画面上に、エクスプローラーからドラッグ＆ドロップすると簡単に開けます。

図　「sample.html」をChromeブラウザで表示する

　「ブラウザで表示されているWebページ」と「HTMLのコード」を見比べてみましょう。Chromeブラウザでは、[Ctrl]+[U]キーを押すと別タブにHTMLのソースコードを表示できます（Macの場合は、[option]＋[⌘]＋[U]キー）。
　次ページの図のように比較してみると、HTMLのタグで囲まれたテキストが、Webページに表示されているのが分かります。ここから、Webページの内容とHTMLのどこが対応しているかおおよそ見当が付きますが、Pythonで読み取るには、次項で説明するHTMLの「要素」と「属性」について理解しておく必要があります。

図　WebページとHTMLの比較

○HTMLの「要素」を理解する

　Web ページは、さまざまな**「要素 (element)」**が集まって構成されています。1 つひとつの要素は「開始タグ」と「終了タグ」で「内容」を囲む構造になっています。例えば、先ほど作った Web ページでは、`<h1>` と `</h1>` のタグで次のように「`Excel+Python` で仕事自動化」の内容を囲んでいます。

h1要素

`<h1>`Excel+Pythonで仕事自動化`</h1>`

開始タグ　　　　　　　　内容　　　　　　　　終了タグ

図　見出しを表すh1要素

　「開始タグ」の `<h1>` と「終了タグ」の `</h1>` で囲むことで、内容は「h1」に意味付けられます。「h1」の「h」は Heading（見出し）の略であり、「h1 タグ」で囲まれた内容は「見出し 1（最上位の見出し）」として Web ページに表示されます。

　このように囲むタグの種類で、内容の意味付けをおこなうのが HTML をはじめとするマークアップ言語の特徴の 1 つです。

○要素には「属性」を付けられる

　HTML の要素は、要素に情報を追加できる**「属性 (attribute)」**を持つこ

とができます。属性は、開始タグの中に「属性名」と「値」を等号 (=) でつないで指定します。値はクォートで囲んで入力します。

例えば、次のようにa要素を用いてハイパーリンクを記述する場合、<a> と </a> で囲んだ内容の「Python ダウンロード」は、画面に表示するテキストでしかありません。「リンク先の URL」は、開始タグの中の「href 属性」に入力します。

　　　　　　　　　　　　開始タグ　　　　　　　　　　　　　　　　　　**終了タグ**

`<a href="https://www.python.org/downloads/">`Pythonダウンロード`</a>`

属性名　　　　　　　　　**属性の値**

図　a要素（アンカー要素）の属性

「a 要素」は、「anchor（いかり）」の略であることからアンカー要素とも呼ばれます。ハイパーリンクを作成するための要素なので、「リンク先のURL」をどこかに記述しなければなりません。そこで「href 属性」が用いられます（「href」は「hypertext reference」の略です）。

◉ 要素の特定に欠かせない2つの属性

属性には、「a 要素」で用いる「href 属性」のように、特定の要素で用いるもの以外に、すべての要素で使用できる「グローバル属性」があります。

グローバル属性の中でも「id 属性」と「class 属性」は、Web ページの作成で頻繁に利用されます。2つともほかの要素と区別するための「目印」のような役目があるので、Python で要素を特定するときにも欠かせない属性です。それぞれ以下のように用いられますが、「id 属性は 1 つのページで重複した値を使えない」という大きな違いがあります。

id属性

ページ内にあるすべての要素の中から、1 つの要素を識別できるようにします。1 つのページ内で、同じ値の id 属性は使えません。そのため、id 属性を使えば、ページ内で唯一の要素を特定できます。

```
<div id="python">
```

class属性

　要素にデザインを適用するための分類名として用いられます。ページ内の複数のパーツに同じデザインを適用できるように、同じ class 属性の値は重複して使えるようになっています。そのため、要素の特定に class 属性を使うと、id 属性のように唯一でなく、複数の要素が該当することがあります。

　class 属性は、値をスペースで区切ることで 1 つの要素に複数の値を指定できます。例えば、次のように `class="footer list"` という属性が付けられた要素は、`footer` と `list` の 2 つの class 属性の値を持ちます。

■ class 属性の例

```
<div class="footer list">
```

◉HTMLタグの種類

　HTML の要素を作成するためのタグには、ほかにも多くの種類があります。一般には次のようなタグがよく用いられます。

タグ名	意味	一般に指定する属性
h1, h2, … ,h6	見出し 1, 見出し 2, … , 見出し 6	
p	テキストの段落 (パラグラフ)	
a	ハイパーリンク	href
ol	番号付きリスト	
ul	番号なしリスト	
li	リスト項目	
img	画像	src, alt
input	入力フォーム	type, name
div	汎用コンテナー	

表　よく用いられるHTMLタグ

「h1」や「p」のように囲んだ内容に意味付けする以外に、以下の「input」や「div」のように特殊な目的で使用されるタグもあります。

inputタグ

「input タグ」は、検索ボックスやボタンなど「入力フォーム」の作成に利用されます。「type 属性」の値を、text、button、radio などに変えるだけで、テキストボックス、ボタン、ラジオボタンなどさまざまなタイプでブラウザに表示できます。

入力フォームに入力した内容は、通常サーバーに送信されます。そのときに「name 属性」の値とペアで送信されることで、入力内容が何かを識別できます。そのため、input タグには通常「name 属性」が明記されています。

ブラウザの自動操作のところで、「Google の検索ボックス」に検索内容をプログラムで入力しましたが、このボックスも input 要素です。次のように、type 属性は「text」なので、テキストボックスが表示されます。また、name 属性が「q」であることを利用して、Selenium で要素を特定しました。

▎**Google の検索ボックスの input 要素（一部抜粋）**

```
<input class="gLFyf gsfi" maxlength="2048" name="q"
type="text" ...>
```

divタグ

「div タグ」はコンテンツを分割するための「コンテナー」を作成するために利用します。例えば、次の div タグは、中に含まれる「h3 要素」と「ul 要素」を 1 つのコンテンツのグループにしています。そして、id="python" を付けて、このグループを特定できるようにしています。

▎**div 要素の例**

```
<div id="python">
    <h3>Python公式ページ </h3>
    <ul>
        <li><a href="https://www.python.org/
downloads/">Pythonダウンロード </a></li>
        <li><a href="https://docs.python.org/ja/3/using/
index.html">Pythonのセットアップと利用 </a></li>
```

> id="python"で、このdivタグで囲まれたグループを特定できる

```
      <li><a href="https://docs.python.org/ja/3/
tutorial/">Pythonチュートリアル </a></li>
    </ul>
</div>
```

　このようにグループ化することで、その中の要素を絞り込んで特定できるようになります。例えば、ページ内に「h3 要素」がいくつあっても、「id属性が python の div 要素内にある」と説明を加えることで、ただ 1 つに限定できます。後ほど Python で要素を特定するときも、同じように絞り込みます。

HTMLの入れ子構造

　Web ページのさまざまな表示内容は、1 つの HTML 要素ばかりでなく、「要素が要素を囲むような構造」で作成されます。このように要素の中に要素を入れることを「入れ子（ネスト）」と呼びます。

　先ほどのサンプルの <div id="python"> と </div> の中には、「h3 要素」と「ul 要素」が入れ子になっています。両者の関係から、div 要素のほうを「**親要素**」、h3 要素や ul 要素のほうを「**子要素**」とも呼びます。

　さらに、ul 要素の中には「li 要素」が入れ子になっていて、その中に「a 要素」が入っています。「li 要素」はリストの項目を表すので、必ず「ul 要素」や「ol 要素」の子要素として用いられます。

◎Webページから情報を読み取る方法

　これで、Web ページを表示している HTML の構造が分かりましたので、Python で「Web ページ」から「要素」を検索して、必要な情報を読み取ってみましょう。

サンプルページをプログラムで読み込む

　本節で作成した「sample.html」を例にプログラミングします。まず WebDriver で、この HTML ファイルをブラウザに読み込ませます。方法は、p.258 の「Web ページを表示する」と同じく、`driver.get()` を用います。

インターネット上にある Web ページを指定するときは、**「https://」で始まる URL** を指定していましたが、「sample.html」は自分のパソコン内にあるので、**「file:///」で始まる URL** でパスを指定します。

パスを自分で入力するのは大変なので、次のように「sample.html」を一度ブラウザで表示して、アドレスバーの URL をコピーして、`driver.get()` のかっこの中に貼り付けると簡単です。

図　自分のパソコン内にあるHTMLファイルのURLをコピー

```
web_sample_read.py
1  from selenium import webdriver
2  import time
3
4  # chromedriver.exeがある場所
5  driver_path = "driver/chromedriver.exe"
6
7  # webdriverの作成
8  driver = webdriver.Chrome(executable_path=driver_path)
9
10 # sample.htmlを開く
11 driver.get("file:///C:/Users/Ichiro/Documents/
   ExcelPython/ch08/sample.html")
12
13 # 5秒待つ
14 time.sleep(5)
15
16 # ブラウザを閉じる
17 driver.quit()
```

（11行目の注釈）自分の環境に合わせて書き換え

p.256 の図と同様に「driver」フォルダーと同じ階層にプログラムを保存して実行すると、ブラウザに「sample.html」が Web ページとして表示されて、5 秒待つと自動的にブラウザが閉じます。これで、Web ページが読み込めたので、要素を検索して情報を読み取ってみましょう。

8

Python で Web から情報を収集する

281

HTMLの要素を検索する方法

Webページの情報は、HTMLの要素の内容や属性から読み取ります。そのためには、まずWebページの中から要素を検索して特定する必要があります。

Seleniumで要素を検索するには、次表にある `find_element()` と `find_elements()` を用います。「s」の有無からも分かるように、条件に一致した「1つ目の要素だけ」を検索する場合は `find_element()`、同じ条件の要素を「複数」検索したい場合は `find_elements()` を使います。

検索条件は、かっこの中に (検索方法, 値) を入力して指定します。例えば、**検索方法**にタグ名を表す By.TAG_NAME、値に "h2" を指定すれば、タグ名が h2 の要素を検索します。

方法	結果	見つからない場合
find_element(検索方法 , 値)	最初に見つかった要素	エラー
find_elements(検索方法 , 値)	見つかった要素すべてのリスト	空リスト

表　SeleniumによるHTML要素の検索方法

検索方法には By . ○○というキーワードで、タグ名、属性の値、CSSセレクタなどが指定できます(CSSセレクタについては後ほど説明します)。Seleniumでは、さまざまな検索方法を指定できますが、次表のような方法がよく用いられます。

検索方法	指定する値	検索例
By.TAG_NAME	タグ名	find_elements(By.TAG_NAME, "h2")
By.ID	id 属性の値	find_element(By.ID, "wob_rain")
By.NAME	name 属性の値	find_element(By.NAME, "q")
By.CLASS	class 属性の値	find_element(By.CLASS, "contents")
By.CSS_SELECTOR	CSS セレクタ	find_elements(By.CSS_SELECTOR, "#python ul li a")

表　よく用いられる検索条件の指定方法

ここで、プログラムの中で By . ○○を使えるようにするためには、次のように By をインポートしておく必要があります。

■ By のインポート

```
from selenium.webdriver.common.by import By
```

find_element() と find_elements() で検索した要素から情報を読み取るには、次の方法を用います。**要素.text** でタグに囲まれた内容のテキストを、**要素.get_attribute("属性名")** で属性の値を取得できます。また、要素のタグ名は、**要素.tag_name** で把握できます。

方法	情報
要素.text	要素内のテキスト（内容）
要素.get_attribute("属性名")	要素の属性の値
要素.tag_name	要素のタグ名

表　Seleniumで検索した要素から情報を読み取る方法

リンクのテキストとURLを読み取る

最初に、sample.html から「タグ名」が「a」、つまりハイパーリンクを表す「a要素」をすべて検索し、テキストとリンク先を読み取ってみます。

次のコードのように、driver.find_elements(By.TAG_NAME, "a") により、Webページにある「タグ名」が「a」の要素（つまりa要素）をすべて検索します。

検索結果は、links にリストで代入されるので、ループで1つずつ「テキスト（内容）」と「リンク先（href属性の値）」を print() で表示します。

web_sample_search_tag.py

```
 1  from selenium import webdriver
 2  from selenium.webdriver.common.by import By
 3
 4  # chromedriver.exeがある場所
 5  driver_path = "driver/chromedriver.exe"
 6
 7  # webdriverの作成
 8  driver = webdriver.Chrome(executable_path=driver_path)
 9
10  # sample.htmlを開く
```

```
11  driver.get("file:///C:/Users/Ichiro/Documents/
    ExcelPython/ch08/sample.html")
12                              ┌─ 自分の環境に合わせて書き換え
13  # タグ名が「a」の要素をすべて検索
14  links = driver.find_elements(By.TAG_NAME, "a")
15
16  # 検索した要素のテキストと href属性の値を表示
17  for link in links:
18      print(link.text)
19      print(link.get_attribute("href"))
20
21  # ブラウザを閉じる
22  driver.quit()
```

プログラムを実行すると、次のようにすべての a 要素のテキスト（内容）
とリンク先（href 属性の値）が表示されるのを確認できます。

実行結果

```
Pythonダウンロード
https://www.python.org/downloads/
Pythonのセットアップと利用
https://docs.python.org/ja/3/using/index.html
Pythonチュートリアル
https://docs.python.org/ja/3/tutorial/
openpyxl
https://pypi.org/project/openpyxl/
selenium
https://pypi.org/project/selenium/
```

ここで、最初の 3 つの a 要素は、Python 公式ページに関する情報です。
この 3 つだけ欲しい場合は、どうしたらよいでしょうか。このような場合
は、「取得したい要素だけを特定できる親要素」を検索してきて、そこから
取り出します。今回のケースでは取得したい最初の 3 つの a 要素は、次図
のように「id 属性」が "python" の要素に含まれます。まずこの親要素を検索
して、そこから取得すればよいのです。

図　<div id="python">配下の3つのa要素を取り出す

次のように「id 属性」が "python" の要素は `driver.find_element(By.ID, "python")` で検索できます（「s」を付けずに要素を 1 つだけ検索します）。この検索で取得した要素に対して `find_elements(By.TAG_NAME, "a")` を実行すれば、この 3 つの a 要素だけを取得できます。

web_sample_search_id_tag.py

```python
 1  from selenium import webdriver
 2  from selenium.webdriver.common.by import By
 3
 4  # chromedriver.exeがある場所
 5  driver_path = "driver/chromedriver.exe"
 6
 7  # webdriverの作成
 8  driver = webdriver.Chrome(executable_path=driver_path)
 9
10  # sample.htmlを開く
11  driver.get("file:///C:/Users/Ichiro/Documents/
    ExcelPython/ch08/sample.html")
12
13  # Python公式ページの a要素を含む親要素
14  id_python = driver.find_element(By.ID, "python")
15
16  # タグ名が「a」の要素を検索
17  links = id_python.find_elements(By.TAG_NAME, "a")
```

自分の環境に合わせて書き換え

```
18
19  # 検索した要素のテキストとhref属性の値を表示
20  for link in links:
21      print(link.text)
22      print(link.get_attribute("href"))
23
24  # ブラウザを閉じる
25  driver.quit()
```

　プログラムを実行すると、次のようにPython公式ページに関するリンクの情報だけが表示されるのを確認できます。このように、検索した要素の中から、さらに要素を検索することで「要素を絞り込む」ことができます。

実行結果

```
Pythonダウンロード
https://www.python.org/downloads/
Pythonのセットアップと利用
https://docs.python.org/ja/3/using/index.html
Pythonチュートリアル
https://docs.python.org/ja/3/tutorial/
```

● CSSセレクタを用いた柔軟な検索方法

　いま説明したように、id属性やclass属性の値で親要素をざっくりと抜き出して、そこから要素を絞り込んで検索するのが要素探しの基本形です。しかし、階層がいくつもある場合は、その分コードの行数も増えてしまいます。そんなときは「CSSセレクタ」を使うと、少ないコードで要素を絞り込むことができます。

　CSSセレクタは、Webデザインのスタイル適用先の要素を限定するために用いられていますが、Seleniumでは要素の検索条件として利用できます。

　CSSセレクタで要素を検索するには、「要素名」は単に「タグ名」で、「id属性」は値の前に「#」、「class属性」は値の前に「.」を付けて、検索条件を指定します。これだけであれば、先ほどの By.TAG_NAME や By.ID を用いた方法と変わりません。CSSセレクタの利点は、検索する条件を**さまざまに組み合わせることができる**ところにあります。

　組み合わせるときによく用いられるのが「子孫」の関係です。CSS セレクタは、スペースを挟んで並べると「親要素から子要素への絞り込み」ができます。例えば、先ほどの Python 公式ページに関する a 要素を検索するには、id 属性が "python" の要素は「#python」で表せるので、その子要素の「a要素」をすべて検索するには、「#python a」と書くだけで済みます。

　次表に、おもな CSS セレクタの使用例をまとめています。ほかにもさまざまな方法で要素を検索できますが、まずはもっともよく用いられる「子孫」の関係を使いこなすようにしましょう。

分類	例	説明
要素名	p	p 要素
id 属性	#python	id 属性が "python" の要素
class 属性	.contents	class 属性が "contents" の要素
	div.contents	class 属性が "contents" の div 要素
	div.contents.links	class 属性に "contents" と "links" の両方を含む div 要素
属性汎用	[name="q"]	name 属性が "q" の要素
	input[name="q"]	name 属性が "q" の input 要素
子孫	#python a	id="python" の要素の中にあるすべての a 要素
	#python ul a	id="python" の要素の中にあるすべての ul 要素の中の a 要素
子	.contents > p	class="contents" の要素の直下にあるすべての p 要素
順番	#python li:nth-of-type(2)	id="python" の要素の中にある 2 番目の li 要素

表　おもなCSSセレクタの使用例

　先ほどの「sample.html」から Python 公式ページの a 要素の情報だけ表示するプログラムを、「CSS セレクタ」を利用して記述すると次のようになります。前項では id 属性で検索した要素から、さらにタグ名で絞り込むという「2 行」のコードでしたが、それが driver.find_elements(By.CSS_SELECTOR, "#python a") の「1 行」になりました。

web_sample_search_css.py

```
1  from selenium import webdriver
2  from selenium.webdriver.common.by import By
3
```

```
 4  # chromedriver.exeがある場所
 5  driver_path = "driver/chromedriver.exe"
 6
 7  # webdriverの作成
 8  driver = webdriver.Chrome(executable_path=driver_path)
 9
10  # sample.htmlを開く
11  driver.get("file:///C:/Users/Ichiro/Documents/
    ExcelPython/ch08/sample.html")
12
```
自分の環境に合わせて書き換え

```
13  # Python公式ページの a要素を検索
14  links = driver.find_elements(By.CSS_SELECTOR, "#python a")
15
16  # 検索した要素のテキストと href属性の値を表示
17  for link in links:
18      print(link.text)
19      print(link.get_attribute("href"))
20
21  # ブラウザを閉じる
22  driver.quit()
```
CSSセレクタで検索

　実行すると前項と同じく、次のように Python 公式ページの a 要素の情報だけが表示されるのを確認できます。

実行結果

```
Pythonダウンロード
https://www.python.org/downloads/
Pythonのセットアップと利用
https://docs.python.org/ja/3/using/index.html
Pythonチュートリアル
https://docs.python.org/ja/3/tutorial/
```

◉ ブラウザのツールを用いてCSSセレクタを調べる

　今回のサンプルのページは単純なので、HTML のソースコードだけから CSS セレクタを作成できました。しかし、実際の Web ページはもっと複雑です。HTML のソースコードを直接読むのは大変なので、通常はブラウザに付属しているツールを利用します。

Chrome ブラウザで実際に操作してみましょう。まず、先ほどの「sample. html」を Chrome ブラウザで開きます。次のように「Python ダウンロード」のリンクの箇所を**右クリックして、メニューから［検証］を選択**してください。

図 「Pythonダウンロード」のリンクを右クリックして、メニューから［検証］をクリックする

すると、Web ページの右側に新しい画面が表示されます（下に表示される場合もあります）。この画面は **Chrome デベロッパーツール**と呼ばれます。その画面の［Elements］タブに、HTML の要素の構造が表示されます。［Elements］タブの画面で**要素にマウスポインターを合わせると、Web ページの該当する部分に網掛けが連動して表示される**ので、HTML の要素とWeb ページの対応がひと目で分かります。

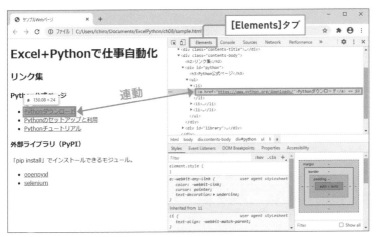

図 Chromeデベロッパーツールが表示される

8

Python で Web から情報を収集する

289

この画面では、HTML要素の階層を分かりやすく表示してくれているので、先ほどのPython公式ページに関するリンクの「a要素」が、id属性が"python"の要素の中にあるのがよく分かります。つまり、CSSセレクタを「#python a」にすれば、ページから対象のa要素だけを検索できます。

［Elements］画面の検索機能で検証する

「CSSセレクタ」でどのような要素が検索されるかも、この［Elements］の画面で確認できます。プログラムを作成するときに使えば、CSSセレクタが意図したとおりに機能するか検証できます。

［Elements］の画面で Ctrl + F キーを押すと、次図のように下に検索ボックスが表示されます。そこに、CSSセレクタを入力すると条件に一致する要素を検索できます。

例えば、先ほどの「#python a」と入力すると、次のように検索ボックスの右側に「1 of 3」と表示されます。これは、全部で「3つの要素」がこのCSSセレクタに合致して、そのうちの「1つ目」を現在表示していることを表します。さらに、上下の矢印のボタンをクリックすると、検索された3つの要素を移動しながら画面で確認できます。

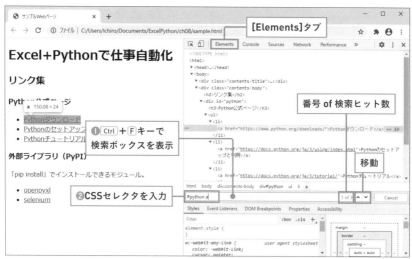

図 Chromeデベロッパーツールの検索ボックスでCSSセレクタを検証できる

8-5　実際のWebページから情報を読み取る

● 最新の新着情報だけ読み取ってみよう

今度はインターネット上のWebページに挑戦してみましょう。少し複雑なCSSセレクタを考えて、情報を読み取ってみます。

今回は「外務省」の新着情報のWebページを題材に使います。このページは、次図のように、情報が日付ごとに「新着順」で並んでいます。ここから、**最新の日付の新着情報だけ**を検索します。例えば、このページの画像では、最新の日付は「令和2年7月14日」になっています。そこに記載されている「3つの新着情報」が対象になります。検索した情報のテキストとリンク先を、プログラムの最後でExcelに保存します。

URL **外務省の新着情報ページ**
https://www.mofa.go.jp/mofaj/shin/index.html

○ CSSセレクタを考える

「最新の日付の要素」とその直下にある「最新の新着情報の要素」から情報を取得するので、まずこれらの要素を検索するための「CSS セレクタ」を考えます。

最新の日付の要素

p.289 で紹介した「Chrome デベロッパーツール」を用いて CSS セレクタを調べます。ここでは「令和 2 年 7 月 14 日」の箇所で右クリックして、メニューから［検証］を選択します。すると、次のように Chrome デベロッパーツールの画面が表示されます。

［Elements］タブの画面で要素の構成を見ると、「id 属性」が "news" の「div 要素」の中に、「dt 要素」が並んでいて、その中の 1 番目が「最新の日付」に該当することが分かります。

このように同じ種類の要素が複数並んでいて、そこから「n 番目」の要素を取得するには、CSS セレクタは「**要素名:nth-of-type(n)**」と指定します。今回は、1 番目の「dt 要素」なので、`dt:nth-of-type(1)` で取得できます。

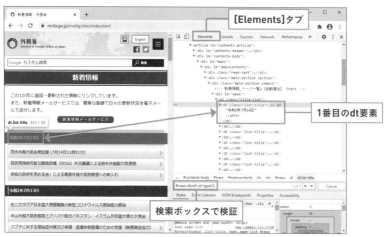

図　dt要素の1番目が最新の日付に該当する

したがって、CSS セレクタに「`#news dt:nth-of-type(1)`」を指定すれば、最新の日付の要素を特定できます。p.290 で紹介したように `Ctrl`+`F` キーで表示される検索ボックスにこの CSS セレクタを入力してみ

れば、この要素が 1 つだけ検索されるのを確認できます。

最新の新着情報の要素

　次に、新着情報のリンクの部分の CSS セレクタを調べます。「最新の新着情報のリンク部分」で右クリックして［検証］を選択します。すると、次図のように Chrome デベロッパーツールの画面が表示されます。

　［Elements］タブの画面で要素の構成を見ると、「id 属性」が "news" の「div 要素」の中に「dd 要素」が並んでいて、「最新の新着情報」はその 1 番目の中にあるのが分かります。

　この 1 番目の「dd 要素」は、先ほどの日付の要素と同じ要領で、「#news dd:nth-of-type(1)」で取得できます。

　さらに、この「dd 要素」の中には複数の「li 要素」が含まれ、その中にハイパーリンクを表示している「a 要素」があります。したがって、CSS セレクタに「#news dd:nth-of-type(1) li a」を指定すれば、最新の新着情報の「a 要素」を特定できます。Ctrl + F キーで表示される検索ボックスにこの CSS セレクタを入力すれば、最新の新着情報の要素が検索されるのを確認できます。

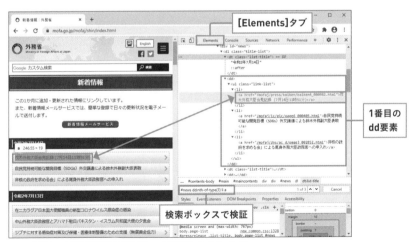

図　最新の新着情報は1番目のdd要素の中にある

　なお、ここでは変更する必要はありませんが、「#news dd:nth-of-type(1) ul li a」のように「ul」を加えても、同じ要素を特定できます。

8

Python で Web から情報を収集する

このように、ある要素を特定するための CSS セレクタは1通りだけとは限らないので、特定さえできればほかの CSS セレクタを使ってもかまいません。

◎ 要素から情報を読み取る

これで「CSS セレクタ」が準備できたので、それぞれの要素を取得して情報を読み取ります。

次のコードのように、最初に外務省の新着情報のページを開きます。そこから、`find_element()` で CSS セレクタを用いて、最新の日付の要素を取得して、日付のテキストを `.text` で読み取ります。

次に、最新の新着情報の「a 要素」は複数の場合があるので、`find_elements()` で取得します。その結果を `for` 文で繰り返し処理し、「a 要素」から「テキスト (内容)」と「リンク先 (href 属性の値)」を読み取り、日付と一緒に `data_list` に追加します。同時に確認のために、追加した内容を `print()` で出力します。

なお、今回はインターネット上の Web ページから読み取るので、読み込みに時間がかかる場合を考慮して、`driver.implicitly_wait(10)` により要素が見つかるまでの待機時間を10秒に設定しておきます (12行目)。

web_gaimu_news.py (前半)

```
1  from selenium import webdriver
2  from selenium.webdriver.common.by import By
3  import openpyxl
4
5  # chromedriver.exeがある場所
6  driver_path = "driver/chromedriver.exe"
7
8  # webdriverの作成
9  driver = webdriver.Chrome(executable_path=driver_path)
10
11  # 要素が見つからない場合は10秒待つように設定
12  driver.implicitly_wait(10)
13
14  # 外務省の新着情報を開く
15  driver.get("https://www.mofa.go.jp/mofaj/shin/index.
   html")
16
```

```
17   # 最新の日付
18   date_elem = driver.find_element(By.CSS_SELECTOR, "#news
     dt:nth-of-type(1)")
19   date_text = date_elem.text
20
21   # 最新の新着情報のa要素
22   links = driver.find_elements(By.CSS_SELECTOR, "#news
     dd:nth-of-type(1) li a")
23
24   # 読み取り結果のリスト
25   data_list = []          ← ここに読み取り結果を入れる
26
27   for link in links:
28       # テキスト
29       link_text = link.text
30       # リンク先
31       link_url = link.get_attribute("href")
32
33       # リストに登録            ← 読み取り結果をリストに追加
34       data_list.append([date_text, link_text, link_url])
35       # 確認表示
36       print(date_text, link_text, link_url)
37
38   # ブラウザを閉じる
39   driver.quit()
```

実行すると、次のように最新の日付(ここでは、令和2年7月14日)の新着情報のテキストとそのリンク先が表示されるのを確認できます。

実行結果

令和2年7月14日 茂木外務大臣会見記録 (7月14日11時51分) https://www.mofa.go.jp/mofaj/press/kaiken/kaiken4_000982.html
令和2年7月14日 自民党持続可能な開発目標(SDGs)外交議連による鈴木外務副大臣表敬 https://www.mofa.go.jp/mofaj/ic/gic/page6_000405.html
令和2年7月14日 非核の政府を求める会」による尾身外務大臣政務官への申入れ https://www.mofa.go.jp/mofaj/dns/ac_d/page3_002852.html

● 読み取った情報をExcelに保存する

最後に `data_list` の内容を Excel ファイルに保存します。今回は

`openpyxl.Workbook()` で新規に作成したブックに保存します。

　シートには、p.103 の「Excel ファイルに 1 行ずつ書き込む」で説明した
方法を利用して、行番号の `row_num` をループごとに 1 つ増やすことで、
1 行ずつ「日付、テキスト、リンク先」を書き込みます。すべてのデータを
書き込んだら「外務省新着情報.xlsx」のファイル名で保存します。

web_gaimu_news.py（後半）

```
40
41  # 新しいブックに保存
42  wb_new = openpyxl.Workbook()
43  ws_new = wb_new.worksheets[0]
44
45  row_num = 1
46
47  for data in data_list:        ──── 読み取り結果をリストから取り出す
48      # 日付
49      ws_new.cell(row_num, 1).value = data[0]
50      # テキスト
51      ws_new.cell(row_num, 2).value = data[1]
52      # リンク先
53      ws_new.cell(row_num, 3).value = data[2]
54
55      row_num = row_num + 1        ──── 行番号を1つ増やす
56
57  wb_new.save("外務省新着情報 .xlsx")
```

　プログラムを実行して保存した Excel ファイルを開いてみると、次のよう
に Web ページと同じ最新の新着情報が書き込まれているのを確認できます。

図　Excelファイルに外務省の新着情報を保存することができた

requestsとBeautifulSoupによる方法

　本書では Selenium を採用しましたが、Web から情報を収集するのには、「requests」と「BeautifulSoup」という 2 つのモジュールを使う方法のほうが一般によく用いられます（BeautifulSoup は第 6 章で紹介した最新のbeautifulsoup4 が現在はおもに用いられます）。

　こちらの方法は、Web ブラウザを使わないで、直接 Web サーバーからWeb ページの HTML を「requests」を用いて受信します。その内容を「BeautifulSoup」で解析して情報を収集します。

　しかし、Web ページには、コンテンツを部分的に読み込みながら表示するものもあります。その場合には、Web ブラウザでないと正確に情報を取得できません。さまざまなテクニックを駆使することもできますが、Webブラウザを使うのがいちばん確実です。そのため、本書では Selenium でWeb ブラウザを操作する方法を採用しました。

　Selenium で Web ブラウザを操作すれば、表示できる Web ページなら、基本的にページ内のどこからでも情報を読み取れます。ただし、Web ページを毎回表示するため、「requests」と比較して処理が遅くなります。それを解消するために、画面なしで動作する「ヘッドレスブラウザ」を Seleniumで操作する方法もありますが、一般のビジネスパーソンを対象にしている本書では、目で見て確認できる Chrome のような普通の Web ブラウザのほうが使い勝手がよいと考えました。そのほうが、相手のサーバーにかける負荷を比較的小さくすることもできます（それでも後ほど説明するような配慮は必要です）。

8

PythonでWebから情報を収集する

Webからの情報収集を自動化する

◉ ExcelのURLリストから自動で巡回する

前節では「外務省」だけの最新の新着情報を収集しましたので、今度は複数の官庁を自動で巡回できるプログラムを作成してみましょう。

次表に示す「外務省」、「総務省」、「財務省」のWebページを自動で巡回して、最新の新着情報を収集します。

官庁名	新着情報URL
外務省	https://www.mofa.go.jp/mofaj/shin/index.html
総務省	https://www.soumu.go.jp/menu_kyotsuu/whatsnew/index.html
財務省	https://www.mof.go.jp/

ここで、「財務省」だけは新着情報は専用のページではなく、次のようにトップページの中から取得します。

図　財務省トップページの中の新着情報

まず事前にそれぞれのWebページを「Chromeブラウザ」で表示して、要素を取得するための「CSSセレクタ」を調べます。

　方法は「外務省」の新着情報のときと同じく、Chrome ブラウザのデベロッパーツールで調べることができます。本書を執筆している時点で調べた「CSS セレクタ」は次表のとおりになります。ただし、その後にデザインが変更になった場合は、同じ CSS セレクタで検索できなくなりエラーになることもあります。その場合は CSS セレクタを調べ直して用います。

官庁名	CSS セレクタ（最新の日付）	CSS セレクタ（最新の新着情報）
外務省	#news dt:nth-of-type(1)	#news dd:nth-of-type(1) li a
総務省	div.contentsBody h2:nth-of-type(1)	div.contentsBody dl:nth-of-type(1) dd a
財務省	div.topicTop h3:nth-of-type(1)	div.topicTop ul:nth-of-type(1) li a

　調べた「CSS セレクタ」を「官庁名」、「新着情報 URL」と一緒に、次のように「官庁新着情報 URL.xlsx」という Excel ファイルにまとめて、これから作成するプログラムと同じフォルダーに保存しておきます。

図　「官庁名」、「新着情報URL」、「CSSセレクタ」をExcelファイルにまとめておく

　これで準備ができたので、プログラミングを始めましょう。今回のコードは少し長くなるので、3つに分けて説明します。

　まずは、次のように先ほど作成した「官庁新着情報 URL.xlsx」を読み込んで、`url_list` に入れておきます。方法は 2-4 節の「セルを 1 行ずつ読み書きする」で説明した `iter_rows()` を利用します。最後尾の空行を読み込まないように、`row[0].value is None` で空行を検知したら読み込みを終了します。

`web_kancyo_news.py（その 1）`

```
1  from selenium import webdriver
2  from selenium.webdriver.common.by import By
```

```
 3  import openpyxl
 4
 5  # URLリストの読み込み
 6  wb = openpyxl.load_workbook("官庁新着情報URL.xlsx")
 7  ws = wb["Sheet1"]
 8
 9  url_list = []  ●────  ここにURLやCSSセレクタを入れておく
10
11  for row in ws.iter_rows(min_row=2):
12      if row[0].value is None:
13          break
14      value_list = []                     URLやCSSセレクタを
15      for c in row:                       リストに追加する
16          value_list.append(c.value)
17      url_list.append(value_list)  ●────
```

次に、それぞれの Web ページを開いて情報を読み取ります。方法は、「外務省」のページを単独で読み取ったときと同じですが、①Web ページを開く ▶ ②要素の検索 ▶ ③要素から情報の読み取り……の一連の処理を官庁ごとに繰り返します。Web ページの URL と CSS セレクタは、`url_list` に入れておいたデータを `for` 文で 1 つずつ取り出して使います。すべての Web ページから情報を読み取り `data_list` に追加したら、ブラウザを `quit()` で閉じます。

web_kancyo_news.py（その2）

```
18
19  # chromedriver.exeがある場所
20  driver_path = "driver/chromedriver.exe"
21
22  # webdriverの作成
23  driver = webdriver.Chrome(executable_path=driver_path)
24
25  # 要素が見つからない場合は 10秒待つように設定
26  driver.implicitly_wait(10)
27
28  # 読み取り結果のリスト
29  data_list = []
30
```

```
31  for url in url_list:
32      kancyo_name = url[0]
33      kancyo_url = url[1]
34      css_date = url[2]
35      css_links = url[3]
36
37      # 新着情報のページを開く
38      driver.get(kancyo_url)
39
40      # 最新の日付
41      date_elem = driver.find_element(By.CSS_SELECTOR,
    css_date)
42      date_text = date_elem.text
43
44      # 最新の新着情報のa要素
45      links = driver.find_elements(By.CSS_SELECTOR, css_
    links)
46
47      for link in links:
48          link_text = link.text
49          link_url = link.get_attribute("href")
50          data_list.append([kancyo_name, date_text, link_
    text, link_url])
51
52  # ブラウザを閉じる
53  driver.quit()
```

URLやCSSセレクタをリストから取り出す

官庁名 / URL

CSSセレクタ（最新日付）

CSSセレクタ（最新リンク）

8

Python で Web から情報を収集する

最後に `data_list` の内容を Excel ファイルに保存します。方法は、「外務省」の新着情報のときと同じですが、今回は 1 列目に官庁名を入力して、1 行ずつ「官庁名、日付、テキスト、リンク先」を書き込みます。すべてのデータを書き込んだら「官庁新着情報 .xlsx」というファイル名で保存します。

web_kancyo_news.py（その3）

```
54
55  # 新しいブックに保存
56  wb_new = openpyxl.Workbook()
57  ws_new = wb_new.worksheets[0]
58
59  row_num = 1
```

```
60
61  for data in data_list:
62      # 官庁名
63      ws_new.cell(row_num, 1).value = data[0]
64      # 日付
65      ws_new.cell(row_num, 2).value = data[1]
66      # テキスト
67      ws_new.cell(row_num, 3).value = data[2]
68      # リンク先
69      ws_new.cell(row_num, 4).value = data[3]
70
71      row_num = row_num + 1
72
73  wb_new.save("官庁新着情報.xlsx")
```

　プログラムを実行すると Chrome ブラウザが起動して、「外務省 ▶ 総務省 ▶ 財務省」の順に Web ページが表示されたあとに自動的に閉じます。保存された「官庁新着情報.xlsx」を開くと、次のように各官庁の最新の日付の新着情報が入力されていることを確認できます。

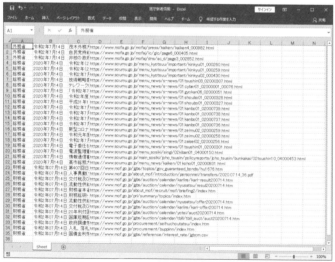

図　官庁新着情報.xlsxに各官庁の最新情報が入力されている

●Webページのスクリーンショットを保存する

プログラムで複数の Web ページを自動で巡回すると、画面が次々と切り替わるので、「Web ページがどのような状態であったか」が分からなくなります。そのようなときは、「スクリーンショット」を撮影しておくと便利です。

Selenium WebDriver では、簡単にスクリーンショットを撮影して保存できます。次のように save_screenshot() を実行するだけです。

▌**Web ページのスクリーンショットを撮影する**

```
driver.save_screenshot(ファイル名)
```

今回の場合は、次のように各官庁の Web ページを巡回する **for** 文の中に、コードを 1 行追加するだけで、スクリーンショットを保存しておけます。ここでは、拡張子に **.png** を付けて、PNG 形式で画像を保存しています。

▌**web_kancyo_news_screenshot.py**

```
     ...
31   for url in url_list:
32       kancyo_name = url[0]
         ...
51
52       # スクリーンショット撮影
53       driver.save_screenshot("screen_" + kancyo_name +
     ".png")        ┌──────────────────────┐
                      │ このコードを追加するだけ │
54                    └──────────────────────┘
55   # ブラウザを閉じる
56   driver.quit()
     ...
```

プログラムを実行すると、プログラムと同じフォルダーに「screen_ 外務省.png」、「screen_ 総務省.png」、「screen_ 財務省.png」のファイルが作成されます。それぞれの画像を開くと、次のようにプログラムで巡回したときのスクリーンショットが確認できます。

図　外務省のページのスクリーンショット

図　総務省のページのスクリーンショット

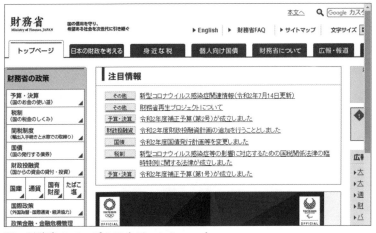

図　財務省のページのスクリーンショット

◎ QRコードを作成してみよう

　スクリーンショットは、「Web ページ全体」以外にも「一部の要素だけ」を撮影することができます。ここでは、この機能を活用して「QR コード」を作成して画像として保存してみます。

　今回は「QR コードを作成できる Web サービス」を利用して、先ほどの官庁の新着情報 URL の QR コードを作成してみます。QR コードにした URL を貼り付けておけば、会議資料が紙であっても、その場でスマートフォンで開いて確認できます。

　QR コードの作成には、オープンソースのグラフ作成 Web API の「QuickChart」を利用します。「Web API」とは、Web サーバーの機能を通信を介して利用する仕組みです。つまり、Web サーバーの中のプログラムをインターネットを介して利用できるようになります。

　QuickChart は、次のような URL をブラウザのアドレスバーに入力すれば簡単に QR コードを作成してくれます。QR コードに変換したいテキストは、`text=` に続けて入力します。

▌**QuickChart で QR コードを作る**

```
https://quickchart.io/qr?text=変換したいテキスト
```

　この URL の末尾の「**?**」に続けて記述されている部分を「クエリ文字列

(Query String)」と呼びます。クエリ文字列を URL に追加することで、Web サーバーに「パラメータ＝値」として渡すことができます。ここでは「text=変換したいテキスト」が QuickChart のサーバーに渡されて、その結果「変換したいテキスト」を QR コード化した画像がブラウザに表示されます。

試しに、Yahoo! JAPAN のトップページの「https://www.yahoo.co.jp」を QR コードに変換してみましょう。次のように、ブラウザのアドレスバーに「https://quickchart.io/qr?text=https://www.yahoo.co.jp」と入力して、[Enter] キーを押せば、QR コードが表示されます。

図　Yahoo! JapanトップページのURLをQRコードに変換する

ここで表示されている QR コードの画像部分を右クリックして［検証］を選択し、Chrome ブラウザのデベロッパーツールで見てみると、次のように 1 つだけある「img 要素」で表示されていることが分かります。

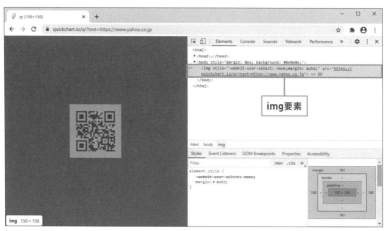

図　QRコードのイメージ要素

つまり、「img 要素」を検索して、その要素のスクリーンショットを保存

すれば、QR コードを画像ファイルとして保存できます。要素のスクリーンショットを保存するには、次のように要素で `screenshot()` を実行するだけです。かっこの中に指定したファイル名で画像が保存されます。

特定の要素だけを撮影する

```
要素.screenshot(ファイル名)
```

プログラムで先ほどの「官庁の新着情報の URL」を QR コードに変換して保存してみましょう。プログラムは、官庁の Web ページを巡回したときとほとんど同じですが、35 行目の `driver.get()` のかっこの中には、「QR コードに変換するための QuickChart の URL」を指定して、**ブラウザに QR コードを表示**します。その状態で、「img 要素」を `find_element()` で取得して、`screenshot()` でスクリーンショットを撮影します。

`web_kancyo_url_qrcode.py`

```python
 1  from selenium import webdriver
 2  from selenium.webdriver.common.by import By
 3  import openpyxl
 4  import time
 5
 6  # URLリストの読み込み
 7  wb = openpyxl.load_workbook("官庁新着情報URL.xlsx")
 8  ws = wb["Sheet1"]
 9
10  url_list = []
11
12  for row in ws.iter_rows(min_row=2):
13      if row[0].value is None:
14          break
15      value_list = []
16      for c in row:
17          value_list.append(c.value)
18      url_list.append(value_list)
19
20  # chromedriver.exeがある場所
21  driver_path = "driver/chromedriver.exe"
22
23  # webdriverの作成
```

```
24  driver = webdriver.Chrome(executable_path=driver_path)
25
26  # 要素が見つからない場合は 10秒待つように設定
27  driver.implicitly_wait(10)
28
29  # QRコードの作成
30  for url in url_list:                      官庁名
31      kancyo_name = url[0]
32      kancyo_url = url[1]                    URL
33
34      # QRコードをブラウザに表示
35      driver.get("https://quickchart.io/qr?text=" +
    kancyo_url)
36
37      # imgタグを取得
38      img = driver.find_element(By.TAG_NAME, "img")
39
40      # imgタグだけをスクリーンショット撮影
41      img.screenshot("qrcode_" + kancyo_name + ".png")
42
43      # 2秒間待つ
44      time.sleep(2)
45
46  # ブラウザを閉じる
47  driver.quit()
```

　プログラムを実行すると、Chrome ブラウザが起動して、次々と QR コードが表示されたあとに自動的に閉じます。プログラムと同じフォルダーに、次のような「qrcode_ 外務省.png」、「qrcode_ 総務省.png」、「qrcode_ 財務省.png」の 3 つの QR コードの画像ファイルが作成されます。それぞれの画像をスマートフォンのカメラで読み込ませれば、正しく官庁のページの URL が変換されたかをチェックできます。

図　外務省の新着情報URL　　図　総務省の新着情報URL　　図　財務省の新着情報URL

○ Pythonで自動アクセスするときに注意すること

PythonでWebから情報を収集する際には、「相手のWebサイトに迷惑をかけない」ように細心の注意を払うことがとても大事です。特に次の3つには十分に配慮しましょう。

相手サーバーに負荷をかけない

Webサイトに大量のアクセスをおこなうと、相手のサーバーに負荷を与えてしまいます。そうならないように、十分なアクセス間隔を設定し、さらには何度かに分けてアクセスするなど対策を講じて、相手の業務を妨害しないように十分に気を付けましょう。

著作権を侵害しない

ビジネスでの利用を目的として、Webサイトから情報収集する場合は、著作権の侵害などの法的リスクが生じることが危惧されます。だれもが利用することを前提とした公的機関のサイト以外については、事前に法律の専門家やコンプライアンスの責任者に相談することをおすすめします。

利用規約を遵守する

サイトによっては、利用規約などでプログラムによる情報収集を禁じている場合もあります。例えば、「特許情報プラットフォーム(J-PlatPat)」は、「利用上のご案内」において「ロボットアクセス(プログラムによる定期的な自動データ収集)のような行為は禁止」と明記しています。このように、公的な機関が運営するサイトであっても、プログラムによる情報収集が制限されていることがあるので、よく確認してからアクセスしましょう。

8

PythonでWebから情報を収集する

```
••• column •••
```

Zen of Python

「なかなかプログラミングが上達している気がしない」、「機能をもっと追加したいが、すでにコードは長すぎて管理できない状態」、「こんなプログラミングの仕方でいいのか心配」……。

そんなときは、ぜひ一度「Zen of Python」を読んでみてください。ここにはPythonの設計思想が書かれていますが、プログラミングの考え方として

読むこともできます。プログラミングの腕前をワンステップ上げるには、ノウハウよりも「考え方」が手助けとなることがよくあります。

「Zen of Python」は、IDLE の対話モードで `import this` を実行するだけ読むことができます。

▌IDLE の対話モードで「Zen of Python」

```
>>> import this
```

全部で 19 行表示されますが、なかでも最初の 3 行は分かりやすく納得できるものだと思います。つまり、コードが見づらく、分かりにくく、複雑と感じる場合は、何か改善の余地があることになります。

▌Zen of Python（1 〜 3 行目）

```
Beautiful is better than ugly.
```
醜いよりも美しいほうがよいです。
```
Explicit is better than implicit.
```
暗黙よりも明示するほうがよいです。
```
Simple is better than complex.
```
複雑よりもシンプルなほうがよいです。

また、次の一文は、Python らしい考え方としてよく取り上げられます。何かをするのに、何通りもの方法は必要なく、だれが見てもすぐ分かる方法が 1 つだけあればいい、という考え方です。シンプルさと分かりやすさを尊重する Python らしさが表れていると思います。

▌Zen of Python（13 行目）

```
There should be one-- and preferably only one --obvious
way to do it.
```
それをおこなうには、明白な方法が 1つあるはずです。できればそれは「たった 1つであること」が望ましいです。

この「Zen of Python」はふだんの仕事や生活にも通じるところがあります。ぜひお気に入りの一文を見つけてください。

おわりに

　最後まで読み進めていただき、ありがとうございました。本書では、ビジネスパーソンがよく用いる「Excel」「メール」「Web」の3つに絞ってPythonで自動化する方法を説明しました。しかし、Pythonでできることはこれだけではありません。

　次は、まず「PDF」「Word」「PowerPoint」を自動化してみることをおすすめします。この3つが加われば、仕事の相当な部分をカバーできるようになるはずです。モジュールは第6章でも紹介した「PyPDF2」「python-docx」「python-pptx」を利用します。

　「PyPDF2」を使えば、ふだんは有料ソフトなどでおこなっているPDFのページの分割や結合がPythonで可能になります。「python-docx」なら、Word文書の編集ができるので、定型文書の作成ができるようになります。また、「python-pptx」を活用すれば、プレゼン資料をパターン化してPythonで自動作成することもできます。

　これらのモジュールの利用方法は、インターネットに多数公開されていますので、本書で学んだ基礎知識があれば参考にできるはずです。ぜひいろんな情報に触れて、さらに学習を進めてください。

　また、Pythonでプログラミングを続けていると、長いコードをもっと読みやすく書き直したくなります。そのときが「関数」を学ぶ絶好のタイミングです。本書では触れませんでしたが、コードを関数にまとめれば長いコードでも見通しやすくなります。

　プログラムの開発では、機能は変えず、コードだけを読みやすく修正する工程があります。この「リファクタリング」と呼ばれる工程において代表的なのが「コードを関数にまとめる作業」です。関数を覚えたら、ぜひ本書のプログラムをリファクタリングしてみてください。

グローバル社会に「英語」が必須なのと同じく、デジタル社会では Python のような「プログラミング言語」が必要になってきます。言語が使えれば、コミュニケーションができる——それは人間どうしだけでなく、人間とコンピュータも一緒です。ぜひ読者の皆さまが、Python という言語を身に付け、デジタルと良い関係を築いていただけることを願っております。

　最後になりましたが、本書が世に出たのは SB クリエイティブの友保健太氏と浦辺制作所の澤田竹洋氏のおかげです。本当にありがとうございました。

2020 年 8 月

中嶋 英勝

INDEX

▶ **本書のサポートページ**

https://isbn2.sbcr.jp/06398/

本書をお読みいただいたご感想を上記 URL からお寄せください。
本書に関するサポート情報やお問い合わせ受付フォームも掲載し
ておりますので、あわせてご利用ください。
右の QR コードからもサポートページにアクセスできます。

Python で Excel、メール、Web を自動化する本

2020年 9月25日 初版第 1 刷発行
2022年 7月14日 初版第 7 刷発行

著　者	……………………	中嶋 英勝
発行者	…………………………	小川 淳
発行所	…………………………	SBクリエイティブ株式会社
		〒106-0032 東京都港区六本木2-4-5
		https://www.sbcr.jp/
印　刷	…………………	株式会社シナノ
装　丁	…………………	三森 健太（JUNGLE）
編　集	…………………	澤田 竹洋（浦辺制作所）
制　作	…………………	浦辺制作所、関口 忠
企画・編集	…………………	友保 健太

落丁本、乱丁本は小社営業部（03-5549-1201）にてお取り替えいたします。定価はカバーに記載されております。

Printed in Japan ISBN 978-4-8156-0639-8